国家出版基金项目
NATIONAL PUBLICATION FOUNDATION

《三联经典文库》

第二辑

2012 年国家出版基金项目

三联经典文库

189

过来的时代：鲁迅论及其他

雪峰　著

生活·讀書·新知 三联书店

图书在版编目(CIP)数据

过来的时代：鲁迅论及其他 / 雪峰著. -- 北京：生活·读书·新知三联书店，2014.1
（三联经典文库第二辑）
ISBN 978-7-108-04620-8

Ⅰ. ①过… Ⅱ. ①雪… Ⅲ. ①鲁迅著作研究 Ⅳ. ①I210.97

中国版本图书馆CIP数据核字(2013)第151390号

189 过来的时代：鲁迅论及其他

责任编辑　戴云波
封扉设计　蔡立国
责任印制　宋　家
出版发行　生活·讀書·新知 三联书店
　　　　　(北京市东城区美术馆东街22号)
邮　　编　100010
经　　销　新华书店
印　　刷　北京鹏润伟业印刷有限公司
版　　次　2014年1月北京第1版　2014年1月北京第1次印刷
开　　本　787毫米×1092毫米 1/32　印张 5.875
字　　数　81千字
定　　价　22.00元

《三联经典文库》出版缘起

适逢生活·读书·新知三联书店八十华诞，为弘扬传统，接续文脉，回报读者，服务社会，我们决定策划出版《三联经典文库》。

1932 年 7 月，生活书店在上海创办，此后，读书出版社和新知书店相继成立。本文库第一辑、第二辑所选图书，来自于这三家出版单位及其分支机构，以及 1948 年生活·读书·新知三联书店成立后的出版物，始于 1932 年，截至 1951 年，两辑各一百种。此为第二辑，涉及政治、经济、社会、军事、思想文化诸领域，涵盖专著、文集、散文、小说、诗歌、传记、报道等体裁，既有直面现实、追求真理、讴歌真善美、抨击假恶丑的原创作品，又有引介世界各国先进文化、传播新知、开启民智的迻译之作，真实记录了那一代知识分子的思考与探索、理想与愿景和对中华民族文化传承与创新所做出的努力与贡献。

本文库所辑入各书，多为名家名作，在版本方面，以初版一印本或经著译编者审定、修订、增订过的版本为首选，因此本文库又具有较为珍贵的版本价值和收藏价值。

本文库还将编选续辑，使之成为恢弘文化工程。诚挚希望读者给予批评和指正，帮助我们完善编选工作，再现三联经典作品之风采。殊为遗憾的是，由于年代久远，一些原著译编者及其后人未能取得联系并奉付稿酬，诚盼版权所有者与我们联系。祈愿三联前辈所创造的精神财富能薪火相传，为中华文化的伟大复兴增光添彩。

《三联经典文库》编辑委员会

2013年8月

凡　　例

一、本文库为重排本，由繁体字竖排版改为简体字横排版。

一、以忠实于原作、整旧如旧为编辑原则，对当时使用的专有名词、外文译名，以及民国时期的语言和特色予以保留。

一、原书注释如旧，编者所出的注释，均以“编者注”标明，以示与原书注释的区别。

一、对原书残缺或字迹漫漶之处，以□示代。

一、对繁简文本转换时的“如右”、“见左”一类，对应改为“如上（前）”、“见下（后）”。

一、对原书中各种错讹脱衍之处，直接订正，不再以其他符号标示。

一、对数字、标点符号的用法，在不损害原文语义的情况下，做必要的规范。

一、本文库各书均前插原书书影、原书版权页和文库版“本书出版说明”。

一、本书出版说明的撰写，以客观中立为原则，扼要介绍本书的内容、版本流转、著译编者的情况。

本书出版说明

本书系我国著名文艺理论家冯雪峰在上世纪三四十年代的一本论文集，前三篇专论鲁迅先生在中国文学史与思想史上的卓越成就与崇高地位，介绍和分析了鲁迅先生计划而未完成的著作；另外十篇则分别论述关于“艺术大众化”的问题、“典型的创造”问题、“文艺与政论”问题、“民族性与民族形式”问题等，作者站在工农大众的立场，出于爱国的使命与民族的责任感，系统阐述了关于文艺创作的原理、方向、原则等方面的一系列见解，希望在战斗与创新的过程中，在对民族文化扬弃的过程中达到世界文化的建立。作为文学史研究特别是文艺理论研究的一段珍贵史料，有其独特的出版意义。当然书中一些文章在语言表述上与我们今天较为成熟、规范的白话文相比较还显得有些生硬，一些理论问题的阐述也显得有些抽象，带有一定的时代特征。

本书由上海新知书店初版于1946年7月，1948年6月再版。本次出版，即以再版本为底本。

冯雪峰（1903-1976），原名福寿，浙江义乌人。中国文艺理论家，诗人，作家。自1920年代末起译介马克思主义文艺理论和苏联文艺状况。1929年参加中国左翼作家联盟的筹备工作，并成为1930年代左翼文艺的重要领导人之一。中华人民共和国建立后，先后担任上海市文学工作者协会主席和市文联副主席、中国文联常务委员、作协副主席和党组书记、人民文学出版社社长兼总编辑、《文艺报》主编等，主持第二版《鲁迅全集》的出版工作。

生活·读书·新知三联书店

2013年8月

新知书店 1948 年 6 月再版书影

過來的時代

——魯迅論及其他——

·有版權·

著作者　雪峯

發行人　沈靜芷

發行所　新知書店
上海四川北路一九九九弄
香港軒鯉詩道三〇四號

特約分售處　各地聯營書店
漢口·重慶

三十五年七月滬初版
三十七年六月滬二版

基本定價四元六角

（滬1001-2000）

原书版权页

目次

序

一九三八至四〇年之间我在浙东，那时的金华和福建的永安等地都有相当有影响的文化工作，也有文艺杂志，但我都没有参加。我不过为几个杂志写过极少数的几篇文章，也都是秉承一二个朋友的函约，即照他们所提的问题发表一点非常一般的见解的东西。所以，所提及的问题，一方面是极原则的，一方面又为了适合当地情形将问题竭力缩小，只能对当时那些地方关心文艺的青年们讨论问题时，作为我们的根本态度的简略的解释，有一点作用。不过当时在金华的荃麟兄却把它们收集起来，再加了一九三七年我在上海作的关于鲁迅先生的一个演讲和一篇短记，编成一个小册子，名为“鲁迅论及其他”，收到他编辑的“充实丛书”里去了，是一九四〇年在桂林出版的。

后来回想起来，如果当时不收集起来也就让它们散失了就算了，因为作为一本书是很薄弱的。但出了书以后，却又在比较广泛的地域留了一点痕迹，并且无论好的坏的也一样在比较广泛的范围发生了一点影响罢。因为凡是一本书，无论怎样，既有读者就总要发生影响的；于是我就想到，到底可能是怎样的影响呢？例如泛泛的原则之论，怎样的大坏处自然是没有的，但可能影响人也那么泛泛地原则地看问题，这就是害处。尤其我们缺少研究实际问题和具体的文艺批评的文字，而空洞地论原则的理论文章却常常看见的时候，就更会这样想到。自然，我当时所写的几篇文章，实际问题是存在的，并且也是针对着当时的文艺情形的，但我有几篇对于问题的结论只限于原则，没有明白的指摘文坛的实际倾向，这就减少了理论文字的尖锐性了。我现在就应该先自己指出这一点来，因为我们实践上战斗这么激烈的时代，理论文字是非常需要具体性和尖锐性的，也只有这样才能广阔地把握问题。

自然，从另一方面说，我们自来从原则上的发掘也非常单薄，我们的理论还只是处理着实际的问题；但我们理论的发展就应该从现实和运动的实际问题的深入出发，为运动的实践而战斗，即纯理论的科学的研究亦应如此。这是我们的态度。

其次，是现在因为出版者要在上海重印，我既无力赎回版权，就把这作为一本小书的性质改变了。我删去了一篇，原想把一九三六年以前所写的几篇论文都收了进去，但大部分都再也找不到了，就只能把找到的部分中挑了三篇（一九三二年的一篇，一九三六年一篇及“关于鲁迅在文学上的地位”这一点陈迹）加入，改为现在这样一个书名。在这里也可说明一下的，是这样的书名分明夸大了书的内容，而我终于采用了的理由。

就是，对于过去，我以为如果要明白曾经有过一些什么问题，我们怎样经过来，尤其对于现在还有些怎样的意义，原也可以从我们犯过怎样的错误的事情上去得到解答的，因为错误也反映着过来的时代及问题的实质，而且有时还能够得到更积极的意义。假如我们再研究我们怎样幼稚地，怎样勉强然而万分勇敢地对付着问题，却也完成了历史的战斗任务过来，那就同样从否定上面也能够肯定了我们自己。

其次，为着工农大众，为着全体人民而从事着阶级的，民族的革命战斗，无论我们在文艺上和理论上的成绩都怎样贫弱，但任务和战线却是那么广大和长期；虽然现在已跨到新的时期，但只战线与任务更加大，并非我们社会和文艺的根本任务已经过去。所以我们如果批判过去，就尤其应该肯定我们的运动以及找出问题上着眼了。

这是我的一点感想。但这当然是就整个运动说的，也只有从整个运动说，从集体的战斗上，一切批判就都有非常积极的作用。因此，作为批判的材料收集过去的东西，也并非只有消极的意义；而且从我们全体说，到底是有成绩的。

至于我自己，则一切都说不上，因为我和文艺既一向是若即若离的关系，而能力更低下，尤其写得最少，至多算是有时被派做过革命文艺的哨兵之一罢了，因此，我的文字即作为批判的材料也不重要，而且又没有收到全部。但我唯一可提的一点，是我因此也同负着幼稚与错误的责任；而我是就我们全体说的，就是这意思。

一九四六年五月九日

鲁迅论

原题“鲁迅与中国民族及文学上的鲁迅主义”，一九三七年十月十九日在上海鲁迅逝世周年纪念会上讲，劳荣纪录。

今天是鲁迅先生逝世周年纪念日，指给我讲的题目是“鲁迅与中国民族及文学上的鲁迅主义”。我不会演说，就只大概讲一讲我的观点。

记得去年在万国公墓下葬的时候，上海的一万多群众就曾在鲁迅先生的棺上，给他盖上了写着“民族魂”三个字的一面大旗。这三个字，对于鲁迅先生，自然非常的合适，但我觉得，这应该是中国民族的战斗者之魂。在我们民族中就有许多的魂，无论白天黑夜，和我们接触着，这些在官府，在民间，在学界，在洋场，……所有可以生息得意的角落里都存在着的黑暗的鬼魂，鲁迅先生用了“钩魂摄魄”的笔就给勾画了出来一大半，其中已经最为大家所熟悉了的是阿Q。鲁迅先生和这些鬼魂搏斗着，他不能不是中国民族中的战斗者之魂。

讲到中国民族——是的，中国民族有它的光明和光荣，而且在今天，不仅只少数人战斗着，大众的民族的革命战争大大的开幕了，首先对着日本帝国主义。但是，胜利的代价决不是廉贱的。据我看来，鲁迅先生毕生所画的民族史图中关于中国民族的解剖与指示，是燃起了伟大的民族革命战争的主要的火把之一，这是不用说的，但尤其还应该是保障民族革命战争的决定的胜利，和指示今后的民族的改造的经典罢。

中国民族，它的死症，鲁迅先生毕生所搏斗过来的，在今天就并不能一下子从身上卸下。自然，我们是早就战斗起来了，站得起来了，但死症的重量，吊悬在我们民族身上，似乎比任何东西都还重。这是当然的，我们的民族，即大家所夸耀的古民族，本来已走上和有些已经灭亡的古民族一样的灭亡的过程上，数千年的所谓亚细亚式的黑暗和野蛮的专制的统治的结果；更加以近百年的——这是欧罗巴式了罢——帝国主义的残暴的非人的压迫与宰割，中国民族在今天以前其实只能说一半是活着的。政治的黑暗，领土主权的丧失，固不用说，却去看看作为这些的结果的中国民族的人的素质罢，几千年的黑暗的专制政治，和近百年的帝国主义的宰割，将中国人民摧残，压迫，曲折得成了怎样的病态了。从前有一个美国传教士，他在中国住了多年，曾列举出了中国人的特性二十多种，而大半是坏的。但我觉得那还是表面的，不是最深刻的观察。鲁迅先生的解剖，才真教人战栗。试去一看他笔下的学者，教授，国粹家，洋博士，高等华人，甚至新式的青年的“人性”罢。这是一类，对于这一类，鲁迅先生的憎恶里没有一丝的爱的成分。再试去一看那生活在这些自以为高人一等的人们所合力维持的政治统治，生活制度，思想教育之下的小孩，女人，及农民罢。只要想一想闰土和阿 Q 就够。不用说，对于祥林嫂，单四嫂子，闰土，阿 Q，以至孔乙己，等等，他们从没有从任何人那里接受过像鲁迅先生所给他们那样的深大的爱过，但闰土的麻木，阿 Q 的自贱贱人，孔乙己的卑污，是教人怎样的战栗呢？这是又一类，他们的“人性”给磨折得这样了。然而这些是结果，自然又即刻成为原因，经了鲁迅先生的指明，更教人战栗的，却是造成这些的政治统治的黑暗凶残，和吃人的所谓中国的文明，封建主义的文明，以及外来的征服者的残暴，——他们就坐在这中国文明上吃着中国统治阶级给他们安排好了的人肉酒筵。请看鲁迅先生的指出罢，中国人民历来究竟曾做过一天的“人”么？他说：我们自己的统治者将自己的人民作奴隶，有时作牛马；而对于进来的更强的征服者，中国的统治者自然自己也成为奴隶，但他们对于自己的人民却还是“奴隶总管”，并且又是刽子手，又是给征服者安排人肉酒筵的好厨师。所以，中国民族不从推翻它的这个征服者及给征服者办人肉酒筵的厨师的共同的统治着手，中国民族自然只有死灭的一条路。这就是鲁迅先生以毕生之力指明出来的中国民族的衰弱史的总图，在今天以前还没有人给描画过这样的惊人和精确。这副史图和推翻这历史的鲁迅先生所作的图案，就成为燃起我们民族的革命和今天对日本帝国主义的革命战争的火把；但这不是说我们今天已经可以庆贺地将它置之高阁了。

别的且不说，鲁迅先生以毕生之力作了民族史图，和中国民族衰弱史一同，就有更鲜明的中国人民的血战史陈列在那里。中国大众不仅能看见自己的血和自己的战斗的传统，而且要知道自己的弱点，尤其要知道在中国民族的唯一的出路中的自己的责任和自信。

在这史图里，我们首先就分明地看见，在征服者和给征服者办人肉酒筵的厨师的合力统治之下，中国的民众——奴隶，是在反叛着的，奴隶的反叛！当然大都逃不出失败的运命。在这之下，就产生了奴隶主义和奴隶的失败主义——阿Q主义。阿Q主义，那精义，不过是奴隶的自欺欺人主义，阿Q的有名的精神胜利法，就是奴隶的失败主义的精华。是的，阿Q本人不过是奴隶的一分子，是中国的被剥削了几千年的农民的代表，他本人只是给人到处做短工的一个流浪的雇农；正因为如此，倘将阿Q的自欺欺人办法，仅仅和他自己——一个奴隶，一个做短工的人相联结，这办法就反而教人同情，因为这也是他的一种自卫的战术，否则他就不能生存，而且终于不能生存。然而这是失败后的奴隶，甚至是在做稳了奴隶之后而幸喜着，而得意着的驯服的奴才的意识，而且还说是中国文明的精华！然而奴隶是总要反叛的，也应该反叛的，失败了，也仍应该反叛，到不是奴隶的时候为止。不过，我们就因此知道，奴隶的被压迫史，才真是阿 Q 主义的产生史。阿 Q 主义也依然是血所教训成的，依然是血的结晶。奴隶的反叛被压平了之后，更强的征服者却进来了，我们上面已说过，这时连居在奴隶之上的奴隶压迫者，也非成为被征服的奴隶不可了，但他们却有合式的地位，就是：对于残暴的征服者自然采用阿 Q 主义，而同时则为虎作伥！已经同样都是奴隶了，但仍有高低之分，一切都仍须取偿于自己的民众。为虎作伥，——“学者”，“正人君子”们则为虎作伥者作伥——伥是能够站在老虎旁边分得一杯血的。这样，人民——奴隶却不得不付出更多的血，人肉筵宴上所吃的自然不仅只是一些羔羊，而中国民族的被征服史，才又是阿 Q 主义偿付更多的血的代价的历史。我们不必去看古远的历史，即看百年来的历史罢，否则就看二十年来的历史；或者仅看近十年的历史，恐怕还要更明白。但是，这才真是中国的人民——奴隶的战斗的鲜血的史图呢！要用血结晶成阿Q主义，非有超乎平常的大量的血不可；有阿Q主义的长远的历史，就非有更长远的奴隶的血战的历史不可。血能够教训成阿Q主义，血难道不更能够教训成反阿Q主义么？鲁迅先生以毕生之力作了中国民族的解剖图，作了奴隶的被压迫、民族的被征服的史图，作了阿Q主义的史图。然而鲁迅先生也作了奴隶——中国大众的血战的鲜明的史图，这一点是尤其应该注意的。

中国人民被压迫了几千年，也被异族践踏了几千年；然而他们也血战了几千年的。但是，他们仍应该知道自己的弱点，尤其必须要有最后的出路和对于这出路的自信。

于是，鲁迅先生以最大的爱给予大众，给予阿Q。然而他对阿Q的阿Q主义愤怒了，并且真的憎恨了，——这是最伟大的愤怒和憎恨！这是民族的和阶级的爱！奴隶应该反抗，鲁迅先生号召着，并且不但应该反抗不安稳的牛马的运命，而且应该反抗安稳的奴隶的地位。他对人民号召着：我们应当在做稳了奴隶及做奴隶而不可得的时代之外，争得第三种时代，争得“人”

的地位。惟有奴隶们争得了这地位，中国民族才算真的从死亡的运命里脱离了出来。不用说，我们是这样地反抗着的，战斗着的，而且在今天是百年以来最强大地反抗着了。但是，就应该这样地反抗着，要坚决，要有自信。

于是，鲁迅先生就不但以他的言论，以他的文学，并且以他一生所走的战斗的路，示给我们以中国民族的出路和对于这出路的自信。刚才，许广平先生说过，鲁迅先生原是信奉进化论的，但后来他确信阶级革命论了。可是，鲁迅先生要有对于民族的伟大的爱，和拥有民族的战斗的传统，这才能够达到这确信，也必然达到这确信；并且惟有达到了这确信，这才会有对于民族的出路的决定的自信。对于我们，民族历史的宏大的知识是需要的，但更需要的是对于民族的伟大的爱；可是，对于历史的真理的到达，就增加了对于这种爱的确信，为这种爱而战斗，也增加了对于自己的力量的自信。在今天以前，还没有谁在对于大众的爱上，对历史的透视上，像鲁迅先生这样本质地拥有着中国民族的战斗的传统的精神的罢。刚才郭沫若先生曾将鲁迅先生和孔子比拟；不用说，鲁迅先生的思想，精神，和战术，都决非师承孔子，而且鲁迅先生论到中国的历史时是常掊击儒派的，但儒派也并非全是虚伪者，例如儒派中的战斗者的所谓“知其不可为而为之”的精神，鲁迅先生是尊敬的，也师法的。但我以为，在中国，战斗的，为大众，为奴隶们服役的牺牲的精神最伟大的是墨子的精神；墨子精神，在中国也还幸而未断绝。关于墨子，鲁迅先生很少论到，但在一篇历史故事（《非攻》，收《故事新编》中）里，他是用了非常亲爱的笔触描画了历史上的墨子的伟大的傻子似的姿态，和他伟大的大众爱的事业与精神了。相传墨子又是师承禹的。——在这里，可以插一句闲话，关于禹，大家知道，我们曾有一个考据学者说并无其人，禹不过是一条虫。比当代我们的学者都富有历史知识的鲁迅先生看到这种说头，却愤怒了。鲁迅先生不但有历史的考据学上的根据，证断禹是一个治水的组织者，我想，他的愤怒还更由于禹的那种伟大的爱的精神罢（对于人类的、民族的历史的认识，这是非常重要的）。鲁迅先生也曾以一个历史故事（《理水》，同收在《故事新编》中），用非常亲爱的笔触描画了传说中的禹的伟大的傻子似的姿态及其伟大的大众爱的事业和精神，而以无限的蔑视描出了“学者”们的渺小，一如他们在实际上所表现。凡是读者，读着这两篇故事，都会深深地感到在墨子和禹的炭笔画像中有着鲁迅先生自己的伟大的傻子似的姿态；——这是当然的，但孜孜为利的渺小的“学者”又怎能懂得。其次，如在宋末，明季等等时代，即所谓中国人民连做奴隶也不可得的时代，便在所谓“士大夫”阶级中，和凶恶卑劣无耻者徒一同，也尽有为民族而作壮烈牺牲的正义的人们在。鲁迅先生和这些人们的精神上的相承，这是大家都知道的。鲁迅先生在清末的青年时代，即是相类的一个民族革命者。对于中国文学的历史的关系上，作为一个中国民族的文学者，鲁迅先生是特别由于遭遇上的同感和对社会的大胆的叛逆的同情，与乱世时代的诗人们起着精神上的共鸣的（除见于他的言说，他还曾以极大的精力校勘过《嵇康集》，并且曾以孔融的态度和遭遇自喻，凡这些也可以补助地说明这一点的）。他不能不和中国文学史上具有伟大的社会热情和人类爱的大诗人们有着精神上的联系。……总之，鲁迅先生和中国民族的战斗的传统及其文化的精神上的关系，是很明白的。但是，鲁迅先生要能够承接和发扬中国民族的战斗传统，尤其要能够给它以真实的出路，还非有他自己的时代的血的经历不可。鲁迅先生的时代，我们的时代，是怎样的时代呢？青年的血，大众的血，淹得鲁迅先生几乎不能喘过一口气来；为什么？却是因为青年们和大众是在为民族的现实和前途而战斗着。……中国的青年和大众承接着数千年的战斗的传统在战斗着，而且比过去更沉勇，更坚毅；战斗着的鲁迅先生于是不能不在这自己的时代，达到中国民族的真实的出路，达到历史的真理，他说：“惟有新兴的无产者才有将来！”这就是鲁迅先生在自己的时代得到的自信，同时也增加了为中国民族而血战着的中国人民的自信。

于是，我们理解：惟有秉着对于民族的伟大的爱而为中国民族战斗着的鲁迅先生，才能拥有着中国民族的战斗传统，而达到历史的真理。惟有在中国民族的解剖中达到了中国民族的出路，只有争得不是牛马，也不是奴隶的，从未有过的第三种的“人”的时代——这历史的真理的鲁迅先生，才必然要达到惟有无产者大众才有将来的这历史的真理。中国民族的四千年的历史之最后的向世界的出路，就完全尽于这两句话的预示中了。而且这预示，其实也正是世界的、中国的现实。但这就给了为民族而战斗着的中国人民大众以决定的自信。

以伟大的人民的爱为民族和大众而战斗的鲁迅先生，信奉进化论是当然的，而且必然要进到阶级革命论，因为只有人民的爱的要求和力量才需要和能够拥抱伟大的进化论，但尤其是只有人民的爱的要求和力量才需要和能够进而拥抱伟大的阶级革命论。但如果鲁迅先生在还仅仅信奉进化论的时候，对于中国民族的病症的去除，民族的出路，奴隶的翻身，只能寄希望于渺茫的未来，而在进一步达到历史的新的真理的时候，信奉阶级革命论的时候，却置确信于现实，那么，这就更给了为民族而战斗着的中国人民对于自己民族的力量以自信。鲁迅先生证明着，中国人民并非是“散沙”，如果是“散沙”，那是统治阶级造成功的，一如造成阿 Q 主义；而且，也只有在治成了“散沙”之后，在“沙”之外的侵略者，征服者，才就“如入无人之境”地进来，于是，这时候，则“君子为猿鹤”，逍哉遥哉的去做他们的大汉奸，而“小人为虫沙”，人民只得像虫沙一般的被践踏。但是反对“虫沙”的运命的中国人民并非“散沙”，鲁迅先生证明着，中国人民大众自己更证明着，他们历来战斗着，现在是百年以来最强大地战斗着了。我们要有自信，反对“沦为异族的奴隶”的牛马的运命，也就不可不争得不再做“自己人的奴隶”的前途，首先民众要有为民族而战斗的生活的改善和团结的自由。只有这样做去，才能达到民族革命战争的决定的胜利。……

鲁迅先生所用的主要的武器是文学，他为中国民族和大众这样地战斗着，也就造成了在文学上的他所特有的特征，而且将这特征移交给我们的文学运动。

和中国的送殡的民众以“民族魂”三个字盖了鲁迅先生的棺材一样，在这之前，在鲁迅先生还活着的时候，外国的批评家就也说过：“鲁迅是中国文学的良心！”这就是说：因为有鲁迅先生的存在，中国现代的文学就不是死沉沉的，安分的驯良的文学，却是战斗的文学了。有了鲁迅先生，这样，中国现代文学是跟着中国战斗着的大众的心脏的跳动而跳动，在挑拨着人民的心；以鲁迅先生为首领，中国的年青的文学的坚毅的意志和阵线就形成着，而且进军着，对任何困难和敌人都不退让。……

将文学作为主要的武器而为中国民族作战的三十年中间，鲁迅先生所完成的伟大的历史任务就在于：他击退数千年来一直毒害着中国人的灵魂的、中国的腐烂的和僵死的文化，却将中国文化中的优良的要素和战斗的传统，将那在野蛮的封建的黑暗的压榨下，人类所仅能艰难地产生的中国民族文化中的真真人类的、世界的精神的传统，和新兴的无产者大众联结起来，而使中国民族文化有着人类的、世界的出路，同时也就使新兴的无产者大众接受着自己民族的这一份遗产。鲁迅先生将世界的文化，世界革命的文学导引给中国的大众，使中国民族和世界的文化接近，并且也将中国民族的大众的战斗文学送给了世界文学。鲁迅先生是中国革命的知识分子的代表，是中国战斗的知识青年和文艺青年的马首，有了他，中国现代的文学者就有了自己的战斗的目标和旗帜，不但团结在文学上而奋斗着，而且一起地认识了中国民族的历史及其真实的出路，而和人民大众的战斗联系在一起，为着中国民族出路及新的人民大众文化而奋斗着。

有了鲁迅先生，及以他为中心而形成的中国的年青的文学的阵营，中国才算有了真真的人类黎明期的文学运动。关于这一点，人们以鲁迅先生和苏联的高尔基比拟，这当然是可以的，鲁迅先生在文学之著作的数量和重量上是不及高尔基的，但鲁迅先生对于中国民族的重要不但不逊于高尔基之于俄罗斯民族，而且在这一点上可以说是超过的。这种比拟，只是就类似之点而说，如对于劳动者大众的关系，两人是相似的；但在这一点上，如果我们仍以外国历史发展的相似的阶段来比较，则鲁迅先生还尽了 V.G. 培林斯基的历史的任务，在文学建立上又尽了果戈理的任务，却是非常明白的。鲁迅先生，因为我们中国现在所处的历史的地位不同，是将俄罗斯民族的思想运动在一百年中所完成的历史任务，不得不缩短到在二三十年中来完成了；这是我们现在的人类黎明期的文学运动的特殊之处，鲁迅先生也不能不一人而尽着果戈理、培林斯基以至高尔基的历史任务。自然，跟苏联之人类的世界史的伟大意义一样，高尔基的世界的意义是他同时代的世界作家无人能及的；鲁迅先生的世界的意义则被限制着，由于中国文字的特殊，中国民族在国际上地位的低下，这固然也影响着鲁迅先生个人之世界的声誉，但最主要的是他对于世界文化的作用却也被限制着了。但鲁迅先生的对世界的影响，就和中国民族的地位一样，正要我们去争取；同时，鲁迅先生也已经取得对世界的伟大的影响，欧美各国译了他的著作且不用说，最主要的是对于东亚的人类黎明期的文化运动中的领导的作用是已经发生着了。自然可以说，倘使在强大的民族，鲁迅先生是很早就取得世界的地位，而且倘使在会爱惜，尊敬，保护自己的天才的民族，则鲁迅先生的发展，至少在文学上的发展是更伟大的。但我们现在说这些话也是无需的了；在我们，在受着全世界黑暗势力的压迫的，一面腐败、衰颓，一面却是战斗着、有着将来的民族，却特别以黑暗空中的电光似的鲁迅先生的特色为重要。鲁迅先生，在文学上也就和其他方面一样完成了他在我们民族在人类黎明期的文学运动中之世界史的任务。

鲁迅先生借文学而为民族和大众作战，这样，就造成了他在中国思想史和文学史上的特殊的地位，而且造成了他在文学上独特的特色。他的特色和我们应学习之点，是我在这里所不能完全举出的，我们也要以他的全部著作当作我们文学工作的学习的经典，现在我仅仅举出许多主要特点中的几点。

首先，鲁迅先生独创了将诗和政论凝结于一起的“杂感”这尖锐的政论性的文艺形式。这是匕首，这是投枪，然而又是独特形式的诗！这形式，是鲁迅先生所独创的，是诗人和战士的一致的产物。自然，这种形式，在中国旧文学里是有它类似的存在的，但我们知道旧文学中的这种形式，有的只是格式和笔法上有可取之点，精神上是完全不成的，有的则在精神上也有可取之点，却只是在那里自生自长的野草似的一点萌芽。鲁迅先生，以其战斗的需要，才独创了这在其本身是非常完整的，而且由鲁迅先生自己达到了那高峰的独特的形式。这种形式，在世界文学中当然是有的，但即在世界文学中，于同一类形式的作品里，在社会性的尖锐和深远上，在政治战斗性的重量和艺术的深刻上，能如鲁迅先生这样的，却也仍不多见。鲁迅先生的杂感、杂文，在文学上是要和但丁、海涅及沙尔蒂科夫·谢特林等人的作品一样不朽的，这不仅是中国民族文学的奇花，而且是世界文学中的奇花。在现在，也因为中国文字的特殊，和鲁迅先生艺术的高迈，就很难求得适当的译者，将这移植到世界文学中去，以致限制着它对世界文学的影响的作用，但我们就特别要承接和发展这一种武器和这一个独特的诗的传统。

第二，鲁迅先生的为民族和大众而战斗的意志和博大的爱，他的对历史的透视和对人生的睁眼正视，这些就产生了他的有显明光彩的独特的现实主义。鲁迅先生的现实主义，是历史的真实和民族的爱的一致。因此，鲁迅先生的现实主义不是冷血的自然主义，也不是温暾的庸俗的现实主义；他的爱和憎是分明的，而且深刻到可怕的地步的，他的现实主义是伟大的大众爱的产物。在人民爱的基石上，从历史的实践出发，这样，不但社会的正义感是鲁迅先生的艺术的泉源，而且他的全部艺术都是慈爱和严酷的交流，爱与憎的矛盾与一致。他在他的小说中，对于他的人物和社会的历史环境的关系的一致上，也最分明地反映着这一点，而教示给读者去向社会奋斗，并对自己的弱点奋斗。例如在阿 Q 这典型人物与其典型的历史环境的矛盾的一致上，岂不是分明地教给我们，阿Q与社会环境的矛盾，及阿Q与其阿Q主义的一致和矛盾，等等关系，因而我们知道有所憎爱，有所去取的么？《阿Q正传》是阿Q根性的暴露史，却也是阿Q的被压迫、被迫害史，是他的生活斗争的失败史，展开我们面前的是中国民族史和社会史。我们看见的不仅是阿Q的肖像，而且是阿Q的灵魂；不仅是阿Q的单纯，而且看见他的复杂；不仅在阿Q中看见一个阿Q，而且看见他的全部的社会阶级关系。恩格斯所说的“典型环境中的典型性格”的艺术，鲁迅先生的《阿Q正传》及其他诸作可以说是达到了最高点。但这个非在人民爱的基础上，从中国民族和大众的历史实践出发不可；这是鲁迅先生在实际生活上的现实主义的战斗态度和分明的憎与爱之在艺术上的表现。这是鲁迅先生的特色。

和这相联系的，是他的韧战主义。这也是鲁迅先生从实践出发，针对着对中国社会的战斗的艰难性而结成的特点。这一点，不但在实际战斗上时时警告着，要纠缠如毒蛇，要彻底打击敌人，而且在文艺创作上也贯穿着这一点，——所以写了闰土，还预示了闰土的下一代；阿Q被枪毙了，则还有小D（小同）留着；这都不能看作鲁迅先生对黑暗时代的赓续的悲观，而是教我们韧战。这也正是鲁迅先生的现实主义的特色。

第三，鲁迅先生，由于为民族和大众作战，由于他的为社会进步的现实主义的艺术观，又必然使他抱着艺术的大众主义，肯定着中国文学之“大众化”的出路。特别最近的五六年他主张着，打算着，如何首先使大众和中国文学从象形的方块字里解放出来。中国文学的“大众化”及中国文字语言的改造，是鲁迅先生和我们的文学运动所必然要走到的去路。……

从鲁迅先生的文学的特征的许多主要点中，我现在仅提及这几点，——这几点以及其他的特征，我们现在就称为鲁迅主义。鲁迅主义，是现代现实主义之中国的特色！

文学上的鲁迅的特色，是现在中国的年青的文学的基本的特色；我们现在是走着他的路，而且必须走着这道路而发展下去。鲁迅先生在他逝世前，指出中国民族的最近的出路是对日本的民族革命战争，中国文学运动的最近的任务则是民族革命战争的大众文学的运动。我们现在从事着这种文学运动，这就是要从极广大的全民族全社会的生活的改造的意义上去着眼，而将鲁迅先生的特征承接与发展下去。我们战斗着，像鲁迅先生似的韧战下去，终能达到我们所战斗的目的。

鲁迅先生计划而未完成的著作

《因太炎先生而想起的二三事》，是鲁迅先生最后的未写完的一篇文章。这篇是十月十七日夜间开始写的，但因当天下午出外受了风，至深夜就起病，支持不下而停笔了。

鲁迅先生计划而未完成的著作，并不止这一种。他计划而未完成的工作，实够他十年做，够我们普通人一生做的。鲁迅先生自己是满以为他至少还能活十年，——"总不至于即刻'翘辫子'了"，有一天他就曾这样说，"我在一九二七年住景云里的时候，生过一次现在似的大病，真的昏迷，几乎'翘辫子'了，但一愈就十年。我不大相信西洋医生的话。今年的病，也和那次差不多；大概总还有十年罢。"于是就哈哈地哄笑了起来，这是在他六月间大病后，精神比较好了的一个晚上。接着就谈到他还想印的画集及几本有插图的书，这都是先生计划要做而竟未能做成的工作。

鲁迅先生病后写的《这也是生活》,《死》,《女吊》,都是一类文体的诗的散文，他说预备写它十来篇，成一本书，以偿某书店的文债。这计划倘能完成，世间无疑将多一本和《朝华夕拾》同等的杰作，但同样来不及写成了。在《女吊》之后，连他已有腹稿的两篇也来不及写，记得他说过，一篇是关于“母爱”的，一篇则关于“穷”。当他写好《女吊》后，大约是九月二十或二十一的晚间，我到他那里去，他从抽屉里拿出原稿来:“我写好了一篇。就是我所说的绍兴的‘女吊’，似乎比前两篇强一点了。”我从头看下去，鲁迅先生却似乎特别满意其中关于女吊的描写，忽然伸手过来寻出“跳女吊”开场的那一段来指着道:“这以前不必看，从这里看起罢。”我首先感到高兴的却是从文章中看出先生的体力逐渐恢复了，他还说道:“这一篇比较的强一点，还有一个理由，是病后写得比较顺手了。病中实在懒散了。”于是接下去又说，“这以后我将写母爱了，我以为母爱的伟大真可怕，差不多盲目的……”鲁迅先生在谈话中讲起母性和母爱，实在不止一次，并且不止好几次，差不多常常提到。我曾这样想：他对于女性的尊视，其中之一的理由是因为母性的爱的伟大罢，这从他常常攻击摩登女子有乳不给儿子吃的事也可知道。有时也常常从德国社会主义的女画家珂勒惠支而谈到母爱，有时则从中国农村的纯厚的老妇人而谈及。他要写一篇关于伟大的母爱的文章也不止说过一次。其次关于穷，他也说过好几次，以为“穷并不是好，要改变一向以为穷是好的观念，因为穷就是弱。又如原始社会的共产主义，是因为穷，那样的共产主义，我们不要。”我还仿佛记得他说过这样的话：“个人的富固然不好；但个人穷也没有什么好。归根结蒂，以社会为前提，社会就穷不得。”……这些仿佛就是先生要写的关于“穷”的文章的题意。

但是，最重要的，是鲁迅先生的死给予中国文学史和学术史的两个巨大的损失。其一，是先生在六月间大病后计划过一个长篇小说。其二，是他十五六年来，不但只有计划，而且准备，收搜材料，常常想动手的中国文学史。

鲁迅先生没有写过长篇小说，也不很有意思写长篇小说。因为在先生，有自己的一定的工作计划和方针。朋友之间常有人主张他写它几部长篇的，对于这样的劝告，鲁迅先生常没有听进耳里。他的工作好像有三个原则，一是有他自己早定的计划，并且起因于很久远的，如周作人先生所记；二是为着当前现实社会上的需要；三则为别人所忽视或不屑做，但却值得做应当做的事他来做。我觉得他不很有意去计划写长篇者，主要的是他埋头在现实社会的短兵相接的斗争里，从他的岗位来说，对于现在中国社会，他以为社会批评的工作比长篇巨制的作品更急需。记得他曾说："我一个人不能样样都做到；在文化的意义上，长篇巨制自然重要的，但还有别人在；我是斩除荆棘的人，我还要杂感杂感下去。……"鲁迅先生特别看重社会的，政治的，也是文化的那更首要的迫切的任务，是不消说的。但其实，基本的任务还是一个，这是选择武器的问题，同时是新的形式的创造的问题，倘若我们将长篇小说的形式从旧的比较笨重的，不直接的，不能迅速反映现实和迅速发生实际效果的意义去看，则鲁迅先生首先采取灵活，迅速，锋利的杂感短评的形式去完成他的任务，是当然的了。还记得他曾说：“就是我的小说，也是论文；我不过采用了短篇小说的体裁罢了。”同时他又常痛惜他的小说和他的文章中的曲笔常被一般读者误解，而且这是很明白的事实；所以，在艺术服从于社会的目的的原则下，我以为这也是一个鲁迅先生更倾向于直剖明示的尖利的批判武器的创造的原因。并且，我觉得倘若先生从事长篇的制作，也一定非创造了新的适合于他的形式不可罢。

但其次，鲁迅先生是时刻不忘为中国新文艺发达的基础的“泥土”工作的，例如翻译，印书，阅稿等等。这在时间上是很被限制了。

但是，鲁迅先生一直以前也曾计划过一部长篇历史小说的制作，是欲描写唐朝的文明的。这个他后来似乎不想实现的计划，大概很多人知道，因为鲁迅先生似乎对很多人说过，别的人或者知道得比我更详细。我只听他在闲谈中说过好几次，有几点我还记得清楚的是，第一，他说唐朝的文化很发达，受了外国文化的影响；第二，他以为“七月七日长生殿”唐明皇和杨贵妃的盟誓，是他们之间已经感到了没有爱情了的缘故；第三，他想从唐明皇的被暗杀，唐明皇在刀儿落到自己的颈上的一刹那间，这才在那刀光里闪过了他的一生，这样地倒叙唐明皇的一生事迹。——记得先生自己还说，“这样写法，倒是颇特别的。”但他又说他曾为了要写这小说，特别到长安去跑了一趟（按即一九二四年夏到西安任暑期演讲），去看遗迹，可是现存的遗迹全不是古籍上所见的那么一回事，——黄土，枯蓬……他想写它的兴趣反而因此索然了。写这历史小说的计划，应该在一九二四年以前，而终未实现，他似乎不想实现。然而在一九三六年六月间大病前后，鲁迅先生曾屡次谈起中国的知识分子问题；有时也谈起高尔基的巨篇《萨姆金的一生》，也谈到长篇小说的严格形式的解放。有一天，我们谈着，我说鲁迅先生深知四代的知识分子，一代是章太炎先生他们；其次是鲁迅先生自己的一代；第三，是相当于例如瞿秋白等人的一代；最后就是现在如我们似的这类年龄的青年……他当时说，“倘要写，关于知识分子我是可以写的，……而且我不写，关于前两代恐怕将来也没有人能写了。”接下去，我们又谈到长篇小说，鲁迅先生不大喜欢辛克莱式的东西，但以为长篇小说可以带叙带议论，自由说话。——这有这样的意思：就是长篇小说也可以由作者变成为社会批评的直剖明示的尖利的武器的。这以后，在闲谈中，常常谈到了以上这些问题，而有一天，这是在他大病后精神较好的时候，就极自然地归结到他写长篇小说的问题。那时他说："这倒可以想想看，如果还能够再活十年，——慢慢写，一年写一本是可以的。或者，想写的文学史再搁一搁也可以，——即同时写也可以。"大约过了一星期，一晚再去访问的时候，鲁迅先生说道："那天谈起的写四代知识分子的长篇，曾想了一下，我想从一个读书人的大家庭的衰落写起……"又加说，"一直写到现在为止，分量可不小。——不过一些事情总得结束一下，也要迁移一个地方才好。"可知这已经是鲁迅先生有意的存心的计划了。然而这将反映中国近六十年来的社会变迁，中国知识阶级的真实的历史，并将创造了新形式的巨制的计划，终于因为鲁迅先生的死从我们的文学史上被夺了去了，这才是永久无法补偿的损失。

关于中国文学史，鲁迅先生恐怕从写《中国小说史略》的时候已经开始准备，收集材料了罢。关于这，在北平的诸先生当知道得更清楚。我只知道一九二六年在广州中山大学曾有过一个大纲，不过似乎是为讲授用的，断片的研究也曾发表过一篇，而想写文学史及想如何写法，则到上海以后，却时常谈起，但有些材料鲁迅先生都集中到北平去，最后两年则在上海又购买了为查考用的许多书籍。在一九二九年至一九三一年之间，翻译科学的社会主义观点的艺术理论的时候，他常常谈起的多是文学史的方法问题。鲁迅先生一向已注意到文艺与时代及社会环境的密切的关系，到这时似乎更觉得非先弄清楚历代的经济、政治和社会生活不可。记得他说过这样的话："中国更需要有一部社会史，不过这当然更难。"这时他对于俄国社会史的有价值的著作及西欧的艺术史（如霍善斯坦因等人的著作）都极有兴趣的细阅，我觉得这和他自己准备写文学史不是没有关系的。有时鲁迅先生还批评着他在这之前介绍的日本板垣鹰穗著的《近代美术史潮论》的观点，也曾谈起他不满意当时出版的中国文学史，如刘大白先生的著作等。这时他很有即开手写的趋向，因为他曾说："或者先写 Sketch，像《魏晋风度及文章与药及酒之关系》那样，一断片一断片的写起来再说……”但终因为别的在他看来是更紧迫的工作所牵制，并没有实现他的宿愿；而且到他逝世前也仍在同样情形下，不克实现他的计划，这对于中国的学术也是无法补偿的损失。

一九三七年十月十五日

关于鲁迅在文学上的地位
——一九三六年七月给捷克译者写的几句话

鲁迅本来是学医的，这在中国差不多大家都知道。在辛亥革命（一九一一年）的远前，他亲身参加那时的民族革命运动，于是他就和文学接近起来。他那时抱着极热烈的民族思想。他想利用文学的利器来唤醒民众，以促成民族的革命。那时他并没有创作，但他筹划办杂志，翻译欧洲有反抗精神的作品，作论文赞美拜仑，普式庚，彼得菲诸诗人的反抗思想。他那时抱有一种极远见的见解，以为群众所以愚昧昏聩，是他们的个性被埋没了的缘故。所以要中国民族真真得解放，就要解放中国民众的思想，解放他们的个性，打破数千年来的传统的道义，使他们有反抗的战斗的精神。他以为在解放个性，煽起民众的反抗精神上，文学是一种最有用的利器。

因此，他当时舍医而就文学，因为他相信医治中国人的病态的精神，比医治虚弱的中国人的肉体，更为紧要。他的这个解放民众个性的见解，远超过当时的中国思想家和革命领袖的思想。

当然这是在鲁迅从事文学创作的很远以前的事。但鲁迅这种开始接近文学的态度，就决定了他作为一个作家的态度：战斗的社会写实主义者。

鲁迅既以一个民族的、社会的革命者的资格去接近文学，因此，在辛亥革命（这革命的成功只是表面的）以后，革命运动开始更深入，更有意识的发展着的时候，他自己的思想也更成熟，更发展，他就作为一个思想革命者，文学革命者，参加了那时的革命运动，在这中间他开始了创作。思想革命，在当时是社会革命运动的别名。那内容是反抗吃人的封建宗法社会的思想的压迫束缚，提倡科学与民主主义的思想，在政治上的意义是反抗封建军阀与帝国主义的统治。这个思想革命，造成了有名的“五四”运动（一九一九年）和震动全世界的一九二五——二七年的大革命。文学革命是当时思想革命的主要的一翼，那内容是反对贵族文学，提倡平民文学，反对死的埋没个性的文学，提倡活的有个性的文学，反对文言文，提倡白话文。鲁迅是当时思想革命与文学革命中的健将，《新青年》的同人与出色的撰稿者。他为着要反对吃人的礼教，为着想揭发中国国民的病症的所在，他写了很多的简短的论文，也于无意中写了《狂人日记》，《阿Q正传》等小说。他为了要打倒文言文，证明白话文优于文言文，他就有意的继续着写他的小说和散文。当时，而且现在，因了他，中国封建宗法社会的思想道德的可怕，得以昭著地显示于人；因了他，白话文和新文学，得以确立和胜利；因了他，中国有万千的青年，投身于反帝反封建的中国革命的实际战斗中。所有这些：鲁迅最初对文学的认识，他从事文学工作的当时的社会环境，他利用文学为他的战斗的工具的态度，就决定了他在文学上的地位：彻底的为人生，为社会的艺术派，一个伟大的革命写实主义者。

在中国，鲁迅作为一个艺术家是伟大的存在，在现在，中国还没有一个作家能在艺术的地位上及得到他。但作为一个思想家及社会批评家的地位，在中国，在鲁迅自己，都比艺术家的地位伟大得多。这是鲁迅的特点，也说明了现在中国社会的特点。现在中国社会，是这样的社会！鲁迅的巨大的艺术天才，显然担得起世界上最著名最伟大的那些长篇巨制之作者；但社会和时代使他的艺术天才取另一形态的发展，所以他除了五本的创作（小说，散文诗）以外，没有更多的创作，而以十余本的杂感评论和散文代替了十余卷的长篇巨制。但他的十余本杂感集，对于中国社会与文化，比十余卷的长篇巨制也许更有价值，实际上是更为大众所重视。这就是在现在中国，鲁迅作为一个伟大的革命写实主义作家的特点。他的杂感，将不仅在中国文学史和文苑里为独特的奇花，也为世界文学中少有的宝贵的奇花。

补助地说明中国现在文学者的特点——鲁迅的特点的，是对于欧洲新思想的介绍，俄国与被压迫民族的前进的文学作品的翻译及介绍。鲁迅翻译的外国作品有近三十种。同时经鲁迅培养与提拔的青年作家，也很多数。

总之，鲁迅成为文学上的这样的一个写实主义者的社会根源，是中国社会和现在的时代。在文学思想上，他受欧洲，特别是俄国的近代写实主义的影响，如果戈理，契诃夫，科罗连珂，安得烈夫诸人的作品等。但中国旧有的好的文学及丰富的中国历史演变的教训，也深刻地影响着鲁迅的文学与思想。他的文学事业，有着明显的深刻的中国特色，特别是他的散文的形式与气质。其次，在文学者的人格与人事关系的一点上，鲁迅是和中国文学史上的壮烈不朽的屈原，陶潜，杜甫等，连成一个精神上的系统。这些大诗人，都是有着伟大的人格和深刻的社会热情的人，鲁迅在思想上当然是新的，不同的，但作为一个中国文学者，在对于社会的热情，及其不屈不挠的精神，显示了中国民族与文化的可尊敬的一方面，鲁迅是相承了他们的一脉的……

一九三六年七月二十日

附记：一九三六年七月半左右的一天，我适在先生家，先生接到在日本的捷克的一个文学者的信，请求为他所译的《鲁迅短篇小说集》捷克译本写一篇序，并请先生自己推荐一篇论他在文学上的地位的论文作参考。先生看完了，对我说道："序，我写一点是容易的。推荐一篇论文，怎么办呢？”当时，两人想了许多时候，还是决定叫我即在几天之内依题随便写几句，和先生的序一并寄去算了。因为先生觉得论他的文章也不可谓不多，但要一个看汉文仍然很困难的捷克人来看那许多文字，再从那许多中找出他所要知道的那一点——鲁迅在文学上的地位——，是太使他为难了。当时，也想到何凝的论文，但先生以为那太长，又专论他的杂感的，捷克人看了会一点也不接头。当时，我对于这个题目也不大了解，先生说：“大概是问我在文学上属于那一种主义罢。”我第二天就以“关于鲁迅在文学上的地位”的题目写了二千字光景，就是这一点东西，全凭了自己的印象写的，没有分析到作品。先生自己看过一遍，并且改了几个错字，涂了一两句，就叫景宋先生誊抄了一遍寄出了。所以这并非一篇成文的文字。先生所涂去的是讲到他受俄国文学者影响的地方，将我原稿上的托尔斯泰和高尔基两个名字涂去了，他说：“他们对我的影响是很小的，倒是安得烈夫有些影响。”又一处，是关于讲到他的艺术天才的地方。关于在后面说他在中国文学史上和屈原、杜甫等的精神上的传统的一点，他当时笑着说："未免过誉了，——对外国人这样说说不要紧，因为外国人根本不知道屈原、杜甫是谁，但如果我们的文豪们一听到，我又要挨骂几年了。"然而我觉得：谁能够否认鲁迅比屈原、杜甫更伟大！而先生自己也没有将这一点涂去。至于在谈话间，我提到现在中国文学在批评上和工作上亦应求出和中国文学史的联系，先生也是很同意的。同时先生也同意对于他的杂感散文在思想意义之外又是很高的而且独创的艺术作品的评价，并且还慨叹的说："作这种评价的还只有何凝一个人！同时，看出我攻击章士钊和陈源一类人，是将他们作为社会上的一种典型的一点来的，也还只有何凝一个人！我实在不大佩服一些所谓前进的批评家，他们是眼睛不看社会的，终始没有觉悟，以为终是鲁迅爱骂人，我在战场上和人斗，他们就在背后冷笑，还甚至放冷箭……"于是，将先生的杂感散文，看成为先生的独创，即在西欧文学上亦少见，并且它和中国的散文有着很深刻的渊源，先生亦认为是对的，并且以为还没有人说出这一点来。但我们当时也只是如此谈谈而已，而先生并不怎样注意他在艺术上的地位，却常注意他的战术和力量的效果。

竟不料这一点原稿还偶然夹在先生的一本遗书中而留下来，月前景宋先生又居然寄还了我。展开来一看，在蓝墨水写的原稿上的先生修改的几个墨笔的字迹，还鲜明的在着！我由心跳而至颓然了。先生去世，于今已将五月了，我还未写过一个字；现在誊抄了一遍，一字不改的发表，算作一个纪念，有暇时我想将这意见另作一文。

一九三七年三月四日记于上海

关于“第三种文学”的倾向与理论

一　我们对于苏汶先生等的态度

对于这次关于文艺问题的论争，我们觉得还可以发表一点意见。首先关于我们的态度就可以说明一下。

一般的说，我们——即所谓“左翼文坛”，对于一般作家的态度，本来就非常明白的。为着革命的利益，为着中国最大多数群众从帝国主义与地主资产阶级下解放出来，为着从此创造新的中国和新的文化，除了自己和领导着一切革命的文学者坚决不懈地斗争着工作着以外，还要联合一切进步的，为着人类的前进和光明而工作的文学者作家也同走：是我们的公然的战斗的态度。这一种态度，就是这一次，我们也曾经传送过给作家们，“左翼作家不但要那同走几步的‘同路人'，而且还要招诱那站在路旁看看的看客也来同走呢。”（鲁迅:《论第三种人》）所以，对于一般作家，我们要携手，决非“拒人于千里之外”，更非视为“资产阶级的走狗”。自然，个别的同志会有而且曾有“指友为敌”的错误的，然而一有这种错误，我们自己即首先要给以纠正了。

对于苏汶先生等，我们也要站在这一种态度上来讨论问题的。自然，苏汶先生等对于我们，现在显然已经怀有深刻的反感，然而这分明是以我们和苏汶先生等的立场与理论的不同，及我们——“左翼文坛”的宗派性与苏汶先生等的气质而形成的，而我们首先就得克服自己的宗派性，也希望苏汶先生等克服他们的气质的坏的方面，而且立场与理论也并非不可能在一切论争中接近起来罢。同时我们对于苏汶先生等的理解，固然需要全面的注意，但我们首先注意那对于革命有利的一面，即苏汶先生等现在显然至少在消极地反对着地主资产阶级及其文学了。因此，我们不把苏汶先生等认为我们的敌人，而是看做应当与之同盟战斗的自己的帮手，我们就应当建立起友人的关系来。正因为我们要建立友人的关系，而且还希望这关系的进步，所以我们要有一切关于真理的争辩，要指摘苏汶先生的错误，这个道理是容易明白的。

二　苏汶先生的倾向的本质

分明地，苏汶先生是一个倾向，他的“第三种文学”的意见是自成一个系统的。先看苏汶先生的文章罢。

苏汶先生在《现代》上先后发表了三篇文章，把那主要的意思总括起来，可以作成下面似的一个脉路很清楚的一贯的思想。

第一，文艺是能够脱离政治而自由的，并且为了保存和完成文艺的对人生的那永久的、绝对的任务起见，它应当脱离政治而自由的。

第二，文艺也甚至能够脱离阶级而自由的，虽然一切的文艺都有阶级性，但文艺可以不替阶级服务，不做阶级斗争的武器。

第三，因此，同样的，虽然历史上一切政治势力都利用文艺，但他反对政治势力对于文艺的干涉。

第四，是对于苏联的无产阶级文学和对于中国左翼文学的态度，他不满于苏联和中国的无产阶级之有阶级的艺术和文化的创造与主张。

第五，第三种人就未必做不成，第三种文学是可以成立的，并且一个忠实于艺术的，斤斤于艺术价值的，死抱住文学不肯放手的人，将都要趋向于这一种文学。……

把苏汶先生的意见作成这样简明的一个系列，我们就能够非常明了地中心地抓住苏汶先生的根柢思想了罢。

但是，这是怎样的自身矛盾的混乱的理论呵！然而作为一个倾向，放在我们的面前。在这里，非常明白的，苏汶先生本人在现在的瞬间的意识形态，不能不是观念的错误、思想的混乱、心理的矛盾的一个过程。（这确是真实的，苏汶先生的文章的一切不重要的部分，和渗透其间的感情的要素，也都证明了它的真实。）

苏汶先生陷入历史上不知由一切非政治主义者，反干涉主义者，超阶级艺术论者，一切“为文艺的文艺”

论者反复过多少次了的矛盾的观念论，丝毫不是偶然的，这个才正是他现在对于政治的态度的反映；正和一切非政治主义，一切“为文艺的文艺”的倾向，都有产生它的那阶级的政治的根源一样，——现在，苏汶先生及其类似的知识分子，——就正处于他们所隶属的那阶级的矛盾中，在苦闷着政治的出路的问题。他们在目前经济危机的深入和革命危机的深入中，在革命与反革命的残酷的阶级斗争中，在小资产阶级（主要地以小市民，中农，学生和知识分子构成的，介在地主资产阶级与工人雇农贫农兵士贫民阶级之间的中间阶级）的剧烈的动摇分化下，已经不得不动摇着了，并且已经开始反对地主资产阶级了（虽然大抵是消极的）。然而，他们依然还不能真的有政治的出路，因为现实的残酷的斗争既扰乱了他们的脑子，而他们（中上层的知识分子）的历史的阶级的一切性质和偏见，特别是他们的鄙弃群众的观念，尤其障碍他们对于客观事实与革命的明确的认识，他们不了解群众在干些什么事，而他们的态度就不得不是不帮地主资产阶级的政治，也不帮群众，同时“不满意谁的时候就骂谁”了。

这才是苏汶先生现在抱住的，虽觉奇怪但亦当然的态度。

所以苏汶先生的观念混乱的理论，是苏汶先生对于政治的态度的反映，是目前一种政治的，文学的倾向。

总括起来说，苏汶先生的非政治主义或反干涉主义，是不但反对地主资产阶级的政治势力来利用文艺，并且也反对群众的革命的政治势力来利用文艺的，因为他也未能满意这种政治势力。而所谓“第三种文学”和“死抱住文学不肯放手”云者，也不外是：（一）在阶级斗争中动摇着，但未能抱住任何一种政治的这一事实的反映；（二）要使文学也同样的脱离无产阶级而自由的苏汶先生的态度的反映。

果这样，苏汶先生的倾向和理论，实在也含着很大的反无产阶级的，反革命的性质，何况对于真的压迫者并不说什么，因为那是真的压迫者，而对于群众，则尽多污蔑，因为能够自由地污蔑[1]。同时，苏汶先生的态

[1] 注——请看苏汶先生在字句间流露的对于革命的观察罢，在本质上是和“杀人放火”之类的反宣传有共同点的。又如苏汶先生对于苏联的无产阶级文学及捷米央·别德内伊等的论断，也实在和帝国主义者及资产阶级的宣传差不多了。

度如果这样发展下去，也将使苏汶先生愈加陷入紊乱的主观的武断的论断里去罢。

三 苏汶先生的理论的错误在什么地方？
——论文艺的阶级性，作为武器的艺术，艺术的价值等

我们上面已经明白的指出苏汶先生所以抱住“第三种文学”的意见的根本原因了，同时也就说明了所以陷入理论上的错误的原因，那就不外是：一则苏汶先生的阶级的偏见和他所抱的对于现实的态度，妨碍他对于客观的理论（真理）的明确的彻底的认识；二则这种偏见和态度的所有者的苏汶先生，就不免要“明知故犯”地歪曲了客观的理论（真理），使自己的态度合理化。所以现在还可以指明一下苏汶先生的意见的在客观理论上的错误。

但是，我们不能够也不需要一字一句的详细的指摘，我认为重要的是必须先把苏汶先生的根本的论点——对于阶级性的解释重来审查一下。因为苏汶先

生的一切理论都从这根本论点推论出来的，而这个又是这次论争的中心问题。

苏汶先生说道：“在天罗地网的阶级社会里，谁也摆脱不了阶级的牢笼，这是当然的，因此作家也便有意无意地露出了某一阶级的意识形态。文学之有阶级性者，盖在于此。然而我们不能进一步说，泄露某一阶级的意识形态就包含一种有目的意识的斗争作用。意识形态是多方面的，有些方面是离阶级利益很远的，……假定说，阶级性必然是那种有目的意识的斗争作用，那我便敢大胆地说，不是一切文学都是有阶级性的。”

“泄露某一种意识形态尚且不必是阶级利益的拥护，更何况反映某一阶级的生活！这儿所谓反映，即如镜子反映人形，不过把这种生活照出来，如此而已。美的照出来是美，丑的照出来是丑，不掩饰丑，同时也不抹杀美，此之谓反映。这是与赞助某一阶级的斗争毫无关系的。”

在这里，就是说，虽然一切文艺都有阶级性，但第一，文艺——至少其中的一部分能够脱离阶级的任务，脱离它的实践——做阶级的武器的；第二，反映生活是能够超阶级的，能够脱离阶级的斗争的。这样，照苏汶先生的解释则所谓阶级性，依然是一个抽象的名词，不过口头上说说的（其实说也等于不说的）一句话罢了。

但是，阶级性，主要地却反映在文艺作品（文艺批评亦如此）之阶级的任务，之做阶级斗争的武器的意义上。一般所说的“一切的文艺都不能超阶级的（这种文艺只能在将来无阶级的社会里存在），同时都不能超利害的，又都是直接间接地做阶级的斗争的武器”的理论，是文艺的历史所证明了的。例如人生派的及所谓功利派的文学之站在阶级的或社会集团的利害的观点上，拥护本身阶级或集团的利益的观点上，抱着政治的或社会的目的，作为奋斗的武器，是不用说的了；公然的宣传鼓动的文学之为某一阶级或某一党派的斗争的武器，是不用说的了。然而就是作者们主观上要超利害的，反对利害观点的如艺术至上派的文学——例如骂人生派为流俗，为愚人，为患瘰疬病者的法兰西的戈谛野（Th. Gautier）一派，实际上也依然一则并不能超阶级，二则仍是利害的，功利的，党派的，即为他们自己——当时法兰西资产阶级中的一派的斗争的武器。[1]就是一切无党派的文学，一切游移动摇的小资产阶级的文学，一切“自由人”的文学，在客观上也同样地或者有利于这一阶级，或者有利于那一阶级，——客观上是如此，正不必问作者自己愿意不愿意。又如“非政治主义”的文学，“为艺术而艺术”的文学，无党派的文学，有时候是当作了“某种政治目的”的一种政策而提倡的。（例如政府机关办的某种文艺刊物，就常打着这样的旗帜。

[1] 请看蒲力汗诺夫的《艺术与社会生活》及《世界革命文学》杂志编者对蒲氏的纠正（此短文寒琪曾译出刊在《文艺新闻》上）。蒲力汗诺夫认为“为艺术而艺术”的倾向不外是艺术家对于政治的冷淡无关心的态度的反映，他在这分析上就有着“超阶级的观点”的错误的要素了。同时他又以为艺术的趣味是非自私的，即超利害的，超党派的，这也是错误的。这些，《世界革命文学》杂志编者都给以纠正了。

又，苏汶先生在《现代》上说，“即艺术至上主义者的戈谛野也是反资产阶级的。”这话是不正确的。就是蒲力汗诺夫也没有说过戈谛野及其一派是真的反资产阶级的。蒲力汗诺夫说道：“属于浪漫派团体的人们，只是在资产阶级的存在的污秽与倦怠和庸俗中失望了的少年资产阶级，他们并没有号召着反对资产阶级的社会关系。”（中译本二八页）蒲力汗诺夫并且又说，当劳动者运动起来的时候，他们反对那想对于资产阶级的社会组织有所阴谋的人们，是甚于反对“资产阶级”（注意蒲力汗诺夫所加的这个括弧）的。他们不过想改变社会的道德，并不想变更社会的组织。（中译本六五页至六八页）

又如资产阶级的文学者也常常有意地打着这样的旗帜来反对无产阶级的阶级文学。）

文学的阶级性，以及对于阶级的利益，首先是因为文学是阶级的意识形态的反映。这是大家都明白的了。然而第二，又正因为这表现在对于客观的生活或真理的认识或反映上的缘故。就是，文艺作品不仅是反映着某一阶级的意识形态，它还要反映着客观的现实，客观的世界。然而这种的反映是根据着作者的意识形态，阶级的世界观的，到底要受着阶级的限制的。（到现在为止，只有无产阶级的世界观——辩证法的唯物论，才能够最接近客观的真理。）例如苏汶先生所说的镜子，到底不能是超阶级的镜子。在伟大的艺术家托尔斯泰的镜子中所照出的俄国的革命（请看伊里支的论文“作为俄国革命之镜子的托尔斯泰”，一九〇八年所作），到底和马克思主义者的镜子所照出的革命有绝大的不同的；托尔斯泰镜子中所照出的俄国的生活，社会的虚伪，资本主义的榨取，政府的专制……以及农民的贫穷，痛苦及其反抗等等（即伊里支所称赞的托尔斯泰的伟大的方面），是到底和马克思主义者的镜子所照出的有绝大不同的。这就是说，像托尔斯泰那样伟大的热烈的真理探求者，现实的忠实的反映者，也不能不受他的地主阶级和农民阶级的世界观大大的限制了。又如斗争期的新兴资产阶级的哲学家，艺术家，有很伟大的遗产，这就是那时的资产阶级是斗争的，前进的，它的世界观使它的哲学和艺术能够更接近客观的真理；而反动期的逆倒着历史的发展行程的现在的资产阶级的科学，哲学，以至艺术，实在是“没有未来的”了。——这是首先的一点。然而其次，现实的反映和真理的探求，也完全是为了阶级的要求和利益的。现实的真实的反映，客观真理的真实的显露，在新兴期的资产阶级和现在的无产阶级，是斗争的必要的武器。尤其是无产阶级，因为作为一个阶级的无产阶级是处着特殊的历史的地位，它为着人类的将来而斗争（借用马尼柯夫斯基的话），一切的现实愈加真实的显露出来，则对于它愈加有利，真理愈加能显露则愈加显出它是真理的表现者的缘故。而现在的反动的资产阶级，则蒙蔽现实，歪曲真理，是他们的必要的斗争手段。又即如托尔斯泰，照出一些真实的现实，是“相应着农民想建立自由而同权的小农民共同社会的那种努力的”（伊里支）。……

总之，文艺的阶级性，决不能像苏汶先生那样的解释。并且，照马克思主义者的解释，则一切的文学，直接地间接地都是阶级的斗争武器，那意义是可以明白了罢。

但是，苏汶先生还有许多的推论，同时也有对于我们的理论和工作的许多误会，我现在再说明几点：

第一，一切的文学，都是斗争的武器；但决不是只有狭义的宣传鼓动的文学，才是斗争的武器。有时候，倒是相反的，就是在宣传鼓动的作品“做得不好”的时候，——浅薄的，“江湖十八诀”的，标语口号式的宣传鼓动的作品，决负不起伟大的斗争武器的任务。而非狭义的宣传鼓动文学，它越能真实地全面地反映了现实，越能把握住客观的真理，则它越是伟大的斗争武器。因此，苏汶先生以为武器的文学即等于狭义的宣传鼓动文学，是不正确的推论。同时苏汶先生以为我们既否定了文艺作用的“组织生活”、“创造生活”的定义了，还讲什么武器的艺术，那不过是“用尽平生气力只举起了一个空心的纸灯笼”罢了——这也是不对的。文艺自然只能够或一程度（相当程度）地影响生活，影响现实，帮助生活和现实的变革。如此，已够是伟大的武器了。（易嘉提出了文艺作用的“影响生活”的定义，但还需要具体的说明，例如文艺的组织群众［并非“组织生活”］是具体的强大作用之一。）

第二，重复的说，要真实地全面反映现实，把握客观的真理，在现在则只有站在无产阶级的阶级立场上才能做到。所以，在无产阶级的作家，首先要有坚定的阶级的立场，和伊里支所说的坚定的党派的立场；因为如上所说，无产阶级是处着历史的特殊的地位，为着无阶级的人类社会而奋斗，在它的前进运动中集中着社会全体的历史的前进运动，在自己的“主观的”、“阶级的”、“党派的”认识之中表现着客观的真理（借用马尼柯夫斯基的话）。所以，苏汶先生对于苏联的无产阶级之有阶级的道德观，艺术观，认为“和资产阶级如出一辙”云云的诽议，实在是由于苏汶先生不了解无产阶级是一个特殊的阶级，只有它是真的为着无阶级的人类社会而奋斗的，而它是越能站在阶级的、党派的立场上，则越能抓住客观的真理，越能和全体人类社会的利害合致的缘故。

第三，苏汶先生说道：“这些‘不敢冒充’为无产阶级的作品，却未必一定是拥护资产阶级的作品。反之，它们纵然在意识上还有许多旧时代的特征，但多少总是倾向于无产阶级的；即使这一点倾向都看不出，那么至少可说是中立的。然而在左翼文坛看来，中立却并不存在，他们差不多把所有非无产阶级的文学都认为是拥护资产阶级的文学了。”

这里正是我们要说到的问题。这可见阶级性的表现和作用是关系很复杂的。首先，我们要承认所有非无产阶级的文学，未必都就是资产阶级的文学的苏汶先生的话是对的；而且我们不能否认我们——左翼的批评家往往犯着机械论的（理论上）和左倾宗派主义的（策略上）错误。因为在我们的面前，有着小资产阶级文学以及革命的小资产阶级文学存在。然而我们要纠正我们在这次论争中所表现的错误，我们尤其反对那“干脆不过”的“左”的舒月先生的那种理论和态度，但也不能同意苏汶先生对于阶级性及其作用的无足轻重的态度。文艺的阶级性及其作用，尤其在阶级斗争剧烈的时期作为中间阶级的文学上，既非无产阶级的文学，亦非资产阶级的文学，主要地是小资产阶级的文学上，是关系特别的复杂的。这种作品，有革命的要素，有反革命的要素，而真的中立实际上是不能有的，所以它们依然或有利于资产阶级，或有利于无产阶级。所以，所有非无产阶级的文学，也就未必都是反资产阶级的文学——何况因为支配阶级的意识形态的长久的支配，作家也最容易成为支配阶级的思想上的俘虏；何况在那种一面也露骨或不露骨地反无产阶级的所谓反资产阶级的作家（例如无政府主义者，虚无主义者，个人主义者等等）。

第四，艺术价值的问题，这里需要说到，而且苏汶先生也提起的。首先，根据上面所说，则艺术价值不是独立的存在，而是政治的、社会的价值，是可明白的了。艺术价值就不能和政治的价值并立起来；归根结蒂，它是一个政治的价值。然而正和一切的政治行动的价值是客观的存在一样，艺术价值是客观的存在；也正和评价政治不能根据庸俗的目前功利主义或相对主义的观点一样，不能依据目前主义的功利观或相对主义的观点（所谓“彼一时也，此一时也”的观点即是一例）

来评价艺术。

苏汶先生认为艺术价值是独立的，并且艺术一为政治服务则必定损害艺术的价值，于是斤斤于艺术价值的人都要脱离政治而自由，这是由于苏汶先生不了解艺术行动是政治行动所决定的，同时对于政治行动的评价就先没有正确的概念的缘故。苏汶先生，及一切远避“政治臭味”的人，以为政治只是目前主义的，功利主义的，艺术则永久的，超目前功利的。然而我们能够否认人类历史上的一切阶级的政治革命对于无产阶级和人类的意义与价值吗？我们能否认“巴黎公社”及“十月革命”对于无产阶级和人类的意义与价值吗？所有这些政治行动都是客观的伟大的价值。所有这些政治行动都是为着当时的目前，又是为着将来的。而一切在历史上开倒车的反动阶级的政治行动，则不但不能构成客观的价值，并且成为历史上的罪恶而遗留。一切时代的一切阶级的艺术行动，不过是直接间接地由当时的政治行动所决定的东西；它的客观价值的构成，就看它帮助了那当时的为现在同时也为未来的政治行动多少，把当时的客观的现实反映了多少，客观的真理把握住了多少而决定的；但帮助开倒车的反动的政治，歪曲客观的现实和真理的艺术，则固然演了反动阶级的任务，却一般地没有价值，并且更要成为罪恶而遗留的。无产阶级要批判地承继历史上的一切艺术的遗产，就因为历史上有着有客观价值的宝贵的东西——即多少反映了当时现实和客观的真理的东西的缘故。无产阶级的文艺批评要指出一切过去的和现在的作品的价值；也要说明作者所生活的时代与其阶级的限制是否障碍着客观真理在艺术上的反映，以及障碍了多少，作者的意识形态或世界观是否使他歪曲现实，以及歪曲了多少（借用古川庄一郎的话）；有时候，还特别要劝艺术家脱离那毒害了他的反动的政治，但并非劝他离政治而自由，却引他去和那会给他的艺术的生气的政治接近。

其次，据上所说，则艺术的价值也就不能分为“内容的价值”和“形式的价值”来说。因为艺术作品的形式和内容是不可分离的一体，而且两者的阶级性也不能不统一着的。如果为研究便利而把形式和内容分开来说，则在任何具体的作品上都会发现作者的思想感情创造着形式——即内容的形成时就已形成了形式的基础的部分，而形式的修饰和加工的部分同时也就是对于内容的修饰和加工的这事实；并且从这事实也就可知两者是相互影响，以及形式本身也包含着思想感情和心理的要素了。自然，如果勉强地把形式和内容分开来说，有时候也会发现形式和内容的矛盾，例如会发现内容被形式牵制的作品，或所谓形式有余而内容不足的作品，也会发现内容是这一阶级的要素多而形式却多属于那一阶级的要素的作品，然而这不外或者说明作者的艺术的才能的不充分或未成熟，或者说明作者的思想感情本身的矛盾和复杂性，同时在这种作品发生客观的效果——构成客观价值的时候，两者也早已不得不作为一个统一的东西而被认识了。所以在评价作品的时候，正如日本古川庄一郎所说，只说些“内容是好，形式却坏”，或“形式倒还好，内容却反动极了”，或“内容是无产阶级的，形式是小资产阶级的或资产阶级的”等等的话，实在是没有什么意思的。但是，我们不是不可以注意和研究作品的形式与内容的矛盾的现象，不过那是用来说明作者的矛盾的一个例子，而并非可以把形式和内容分开来评价的。

然而苏汶先生又仿佛有着形式有独自的价值的意见，并且在他对于连环图画和欧化文学的形式的意见上，就仿佛形式不仅是独自价值，并且是独自发展，又仿佛是决定的东西了。所以他就不能了解：某种简单的内容可以自动地批判地择取某种简单的形式，造成某种简单的艺术，以供给简单的读者，并且在这里内容可以争取支配的地位，时时的影响形式，而逐渐达到较高级的艺术。同时苏汶先生用了艺术贵族主义的眼光来看，也就当然不能了解：简单的艺术，只要是强有力的简单的艺术，能够感动多数的简单的大众读者，也就构成了它应当有的艺术价值。实际上，如西洋的壁画和版画的发展历史所证明（请参看鲁迅的“连环图画辩护”，《文学月报》第四期），如连环图画之类是可能发展为较高级的艺术，成为将来有民族特色的国际艺术的。并且一切大众艺术的价值是到底不能抹杀的。至于连环图画之类，那正不必说，不过是我们列为大众艺术的创造的许多途径中的一条罢了。我们是更主张学习西欧的如报告文学，朗诵诗等等的大众文学的，尤其没有反对对于一切更发展的更高级的形式的学习。

四　结论——“第三种文学”的出路

据以上所说，苏汶先生的意见和理论是我们完全不能同意的。但我们若客观地诚实地指出苏汶先生的对现实的态度，指出他在文艺问题上的理论的错误，总多少会引起苏汶先生及和他同抱负的作家们的注意的罢。首先我们认为苏汶先生们对于政治，对于现实的态度就需要有多少的变更；其次，对于自己的工作和我们的工作的态度及观点，也就当然要有更正了。

在这里，再重复地说一遍，苏汶先生们反对地主资产阶级及其文艺，是我们所能相信的，因为在现在，一个有良心的艺术家，还能够不厌弃憎恶压迫者杀人者的罪恶的政治及其文学的吗？然而我们也要指出来，而且已经指出来：他们只是消极的反对，无实效地反对，而要使他们的反对成为有实效，首先需要转变对于群众的态度，抛弃鄙弃群众的观念，多去理解一些群众的革命的斗争和运动，而把自己的力量加入到群众里面去。讨论到所谓“第三种文学”的出路问题的时候，这就是首先要说到的问题。

据上所说，第三种文学，如果像苏汶先生现在所表现的倾向，乃是要超阶级斗争的，超政治的文学，更具体的明白的说，要在地主资产阶级反革命文学和普罗革命文学之间或之外存在的超革命也超反革命的文学，那么，这种文学实际上也早已不是真的中立的，真的第三种文学。因为这样的文学及其理论，实际上，客观上，往往仍旧帮助着地主资产阶级的，是我们上面已经说过了，所以，问题并不在于我们拒绝中立，而是在于它在客观上并非中立，在于这样的第三种文学，以及做这样的第三种人，并非苏汶先生的作家们（“作家之群”）的出路。但是，第三种文学，如果是“反对旧时代，反对旧社会”，虽不是取着无产阶级的立场，但决非反革命文学，那么，这种文学也早已对于革命有利，早已并非中立，不必立着第三种文学的名称了，而这才是目前放在一般作家们（“作家之群”）的面前的正当的路。这样，他们要真的跑上这样的路，则改变他们对于政治的现在的那种态度，抛弃鄙弃群众的观念，改正对于文艺理论的一些错误的理解，是必要的了。

放在我们面前的，至少做我们的注意的中心的，应该是革命的和有革命意义的小资产阶级的文学的问题。即一切写实的，能够多少暴露着社会的真实的现象，尤其是地主资产阶级的腐烂崩溃，帝国主义的侵略压迫的真相，小资产阶级的没落动摇分化的现象，等等的文学。在现在，小资产阶级文学中，实际上也只有这种文学能够是有生命的东西，能够构成客观的价值，因为那种实际上仍旧帮助反动势力的文学，则它不仅不暴露社会的客观的现实，并且还要歪曲了客观的真理，是明明白白的，而此外一些停留在社会生活的表面上的浅薄的，什么也没有接触到的小资产阶级文学，也到底不能引起人们的注意了。我们认为苏汶先生的“第三种文学”的真正的出路，是这一种革命的，多少有些革命的意义的，多少能够反映现在社会的真实的现实的文学。他们不需要和普罗革命文学对立起来，而应当和普罗革命文学联合起来。——这个，以及我们——“左翼文坛”的左倾宗派主义的错误的纠正，是这次论争所能得到的、应当得到的有实际的意义的结论吧。

一九三二年十一月二十六日

关于抗日统一战线与文学运动

一　新文学发展的新趋向

我在这里，想参加进来，对现在文学运动的几个问题发表一点意见。最先我想要指出现在文学发展的趋向，因为这是我对问题的看法的出发点。

现在中国新的文学，由于社会环境的急转直下的变迁，也因于新文学运动的本身的发展，毫无问题地将要跨到一个很可庆贺的新的阶段去。这种发展的趋向的本质，鲁迅先生已经指出过一方向，他说："……这种文学和运动，一直发展着；到现在更具体地，更实际斗争地发展到民族革命战争的大众文学。……这种文学，现在已经存在着，并且即将在这基础之上，再受着实际斗争生活的培养，开起烂漫的花来罢。"这就是说，新的文学发展到现在，将以那用民族革命战争为内容的文学为主潮，将从全民族的生存斗争的热流里得到充实和丰富。这是无疑的。然而这只是一方面，最主要的是现在我们新文学的地盘和势力有着大大地扩张的趋势和可能。由于新文学历年运动的影响的逐渐扩大，已经有了一个既成的基础，在这基础之上，新文学的内容的新的充实与丰富必定增加了读者的数量和信仰；最重要的，是因为这种以民族革命战争为内容的，和全国人民的热流相交流的文学，必将不翼而飞地扩大它的影响；同时，由于全国人民抗日统一战线这运动对于文学之间的关系的影响，有获得更多的作家到新文学的阵地，并同样带来更多的读者群众的可能。总之，现在的情势恰正是新文学运动可以更广泛的发展，新文学的势力能够大大地扩张的时机。在现在，我们的文学运动，很明显的，就是爱国运动；但是新文学将因为它投入爱国运动、民族解放斗争而更扩大。新文学应该自觉地去扩大自己的势力，为着民族的使命，为着新文学自己的使命，我以为清楚地明白这一点，把这一点放在我们脑子里面，是首先必要的。

二 关于几个理论者的“关门主义”

根据以上简单说明了的我的观点，对于几个问题，我发表一点意见。但我以指出在一些问题上发现的一些对于新文学发展极不利的关门主义的理论为主。

当文学界统一战线的问题和“国防文学”的口号提出来的时候，有些人就认为这是放弃阶级立场，又说“将陷入爱国主义的污池”里去。这不但对于抗日运动是关门，并且对于文学运动同样是关门，是早已有人指摘过，我不用说的了。最近茅盾先生指出 ×× 等也有关门主义的理论，×× 就反问道：我的关门主义在那里？你茅盾先生滥用关门主义的名辞了。但我以为关门主义是有的，并且很浓厚，很根深蒂固，以至于到现在还不自觉，并且不仅存在于 ×× 等几个人的身上。而那原因，我以为就由于不明白新文学发展的新的趋向，以及没有把眼光放大，放到更扩大的运动上去的缘故。

关门主义，第一，存在于对抗日统一战线问题的狭隘的了解。他们依然把这统一战线的问题看成为单纯的文学上结合新团体的问题，没有看成这和别界的抗日统一战线一样首先应该是一个爱国的政治上的联合问题；因此他们的一切理论和办法，至多仍是“半开门主义”。所以茅盾先生说他们规定要“入场券”，鲁迅先生说他们“基本上是宗派主义”，都是非常正确的恰当的指摘。很明显，如果为了要在爱国运动中去扩大文学运动，则首先不应从文学问题上去求统一，而应从抗日的政治问题上去联合作家，然后在抗日联合的过程中，爱国工作的接触中，使各派的作家和新文学更接近。无论如何，在现在，抗日的联合是完全可能的，也只在抗日的一点上各派各阶级的文学者的联合是完全可能的，但要在文学问题上求统一，则在现在还不可能；如果在抗日联合问题中附以文学上问题的条件，那就要大大地缩小了抗日的战线，也就不去造成我们要在抗日运动中去扩大文学运动的前提条件与机会了。因此，× × 等的关门主义，就在于不了解抗日运动和文学运动的有机关系。× × 说过，文学者之间的关系将有变化。这正对，将有变化，我们就要看到这一点，我们正要促成他们的变化。然而怎样地变化呢？我们用什么办法去促成他们的变化呢？在现在的情势下，首先不是用文学上的咒文，而是对于问题的有机的理解与切实的良善的实际工作。一般作家，在现在的情势下，恐怕不会将文学上的一些咒文看成为那么迷信的东西，倒是会将民族的运命看得更为重要的，所以，只有从无文学上的条件地，越广泛越好地在抗日问题的联合上着手，从协同做爱国工作上着手，才能促成文学者之间的关系的变动。

于是，×× 等的关门主义或宗派主义，还更多地表现在其他许多问题的意见上。例如对于“国防文学”口号的出色的宗派主义的解释，以及将别的较正确的文学口号指为“标新立异”，即使不算是暴君的态度，也是一副商标主义的市侩的气味，就早经鲁迅先生和茅盾先生的指出，我也不用说了。最近他们就又在拒绝“创作自由”一口号上面表现出关门主义来。对于要求“创作自由”的不了解，却不但如茅盾先生所说由于他们颠倒的引用高尔基的话，最根本的是由于 ×× 等不了解或不相信新文学的既成的基础（即所谓主观的力量）和有着大大地扩大的形势；由于他们不了解将怎样地去变动作家之间的关系。无论如何，“创作自由”在现在是适当的，也是迫切的要求。第一，现在没有爱国的文学的创作和发表的自由，我们要争取得这自由。第二，为着新文学的发展，要去掉一向的那种不正确的公式主义的批评对于作家们的束缚。第三，如果我们有了创作的自由，能够做到自由竞争，则新文学不但能获得多数的读者，并且也一定有别派的作者投入新文学中来。同时，要动员各派作者来从事抗日的新文学运动，也应在“自由创作”的原则之下，以鼓励与提倡的方法使他们自动的来。……

总之，浓厚的关门主义是存在着，为着抗日，为着新文学，都非即刻纠正不可的。

三　抗日文学运动的“三原则”

以下说一说我们应当怎样进行文学运动的步骤的问题。

我以为，倘若我们将新文学运动有大大扩大的可能，以及我们应当求得这可能的实现，这问题放在我们的脑子里，那么茅盾先生和鲁迅先生的意见，就是对我们很好的指示。我想很可以将他们两位的意见，作成为如下的我们运动的有机的“三原则”。

（一）一切文学家，任何派别与阶级的文学家，大家无条件地在抗日问题上联合起来！将抗日的力量统一起来！

（二）为着爱国的抗日的文学的发展，为着发挥文学对于民族解放应尽的职务，并且也为着各个文学者的自动的，兴趣勃勃的工作和多方面的活泼的发展，我们要求我们能够有创作的自由，发表的自由，我们也赞成各个作家自由写作，不受任何主义的束缚。作为一个现在中国人的作家，应当有为国家尽力的自由，也应当取得能够享有自由的信任。

（三）我们尽量地努力提倡“民族革命战争的大众文学”或“国防文学”，甚至提倡“现实主义的创作方法”。我们要到处尽可能的提倡这种文学，鼓励大家来写。我们也要把一般爱国的文学运动尽量地扩大。

我想，如果照着这样作去，不但抗日的联合战线能愉快地结成，并且新文学运动也一定扩大。××们却常常将问题颠倒过来看了。……

以上所说的“三原则”，可无需再说明，但关于“民族革命战争的大众文学”或“国防文学”可以在这里再说几句。（关于口号的名词的争论应当即刻停止，把民族革命战争的大众文学和国防文学看成同一内容的东西，在现在我以为是没有什么不可以的，虽然“国防文学”一名词在文学思想的意义上太含混了。）第一，民族革命战争的大众文学，或国防文学，我们应当尽量地提倡，对所有作家提倡，以扩大和充实新文学的内容和势力，这是很对的，因此，它应当尽量将自己的形式和内容的范围扩大与多样化，不要把它规定为很严格的狭隘的东西，使它越与一般爱国文学接近越好。只有这样，它的内容能更和实际生活相连而更充实。它才能和更多数的读者大众接近，它才能成为广泛的爱国文学的一个中心。因此，这文学口号，没有能够包括创作方法的意义，并不是它的缺点，因为最好的创作方法是现实主义，我们已经在提倡，这且不必说，最主要的是为了使这种文学成为广大的群众运动，为了去适合多数人的要求，所以少一种束缚是好的；现实主义的作家来写固然好，浪漫主义作家亦何尝不可以来写。也只有在作家们和现实的民族解放的题材接近，在将自己的文学活动和抗日运动接近起来，才能使他们的眼光一同现实化，使他们的创作方法一同现实主义化，（关于对现实主义的创作方法的机械的观点，我想在下面再说到）。总之，在现在首先的问题是使抗日文学运动扩大化与使作家容易地和抗日斗争接近起来。×× 以为民族革命战争的大众文学没有包括创作方法，就不能作为前进文学的创作口号，又以为前进文学运动在现在不能提自己的口号，这两点都恰恰烘托出了他是一个十足的“空谈家”，对实际问题或“左”或“右”把握不住的。前进文学运动要提明白的自己的口号，但提的口号要不是太难的过高的口号，也不是太低的无前进意义的口号，而是又有前进意义，又人人能做，人人所要求的大众的口号。在这意义上，民族革命战争的大众文学与国防文学两口号，是都还可以用的。第二，大众文学或文学大众化，不但从文学运动本身看来，需要继续的主张和更大的努力，在抗日运动的现在，尤其需要更大的努力和主张。大众文学或文学大众化运动，虽是我们的主张，但差不多各派作家都同情或响应的。可以随便举两个例子证明，我在某书信集中看见陈望道先生致友人信中说，他约了一些朋友研究文学大众化问题，他说可喜的是那次约会的朋友中没有一个“左翼”的分子。这所谓可喜，当然是既没有“左翼”分子在内，则他们研究大众化问题当不会被看作“不法”行为了的意思。又一个例子，是和文学没有关系的金仲华先生，最近在《生活星期刊》上写了一篇“中国文化界的不平衡发展”，他提出了我们应该注意对广大落后民众的文化运动的许多非常宝贵的意见。这可见大众化运动，不但迫切，而且是广大文学者都感到需要，大家差不多都同意的，尤其在抗日运动全国澎湃的现在。因此，那以为在现在讲联合战线，就不能提大众文学的口号，真是昏透了的意见。所以，民族革命战争的大众文学的“大众文学”四个字就要特别注意；“大众”二字在文学内容上固应“人民大众”之意，在文学形式上就应力求大众化。并且在民族革命战争的大众文学或国防文学的面前的一个巨大的任务，是在以知识青年和学生为对象的作品之外，多量的写作唱本演义连环图画等等的大众读物。这种作品应当得到很高的评价！……××们忙于反对民族革命战争大众文学的口号，却把这口号所包含的我们现在文学运动的一个重要的意义与任务，完全忘记了。

四　文学理论问题上的机械的观点

以上我大半反驳 ×× 们的“关门主义”，现在我更想略略指出一两点作为他们关门主义的所谓“理论的根据”的，他们对于文学理论的机械的了解。这种指出，在平时已属需要，在文学运动应当扩大化的现在，更属需要罢。但我在这里只是略略说及，我提议从事理论研究的人们来多多注意，将许多问题重新考虑，使我们的理论与我们的运动的发展相适应。

×× 的理论，一方面实在如茅盾先生所说，是东鳞西片地凑拢起来的，但另一方面，惟独他的关门主义，他对问题的机械的了解，却能够自成一贯。在三年前他论“第三种文学”的时候，曾抱着“非无产阶级文学即资产阶级文学”的见解，最近论“国防文学”的时候，很明显地又重复着而且固执着以前的错误。他在《论国防文学》一文上，大有现在非“国防文学”即“汉奸文学”的论断，又在另一个地方说过这样的话：“像沙汀似的作家，总不能算是汉奸作家罢”（大意如此）。这种理论，实在惊人。如果不是满房子，满巷堂，满天下都是“国防文学”，就是满山，满野，满马路，都是“汉奸文学”了，连沙汀这样优秀的前进作家都有被看作“汉奸作家”的嫌疑，不得不请 ×× 出来辨明。请问大家究竟有谁曾把沙汀和“汉奸作家”两个观念连在一起来想过？我想大家一定都没有。这种理论，实在是“凡天下之女人，非节妇即娼妓也”的妙论之化身，然而这却是机械的理论，那根源仍在于对于文学的阶级性的机械的了解。

其次 ×× 们对于“创作自由”要求的拒绝，以及别的人们把这和三年前的“第三种人”的理论相比拟，都似乎振振有辞地有理论的根据。然而这又是“爸爸，你的头发上一条棉被”的有趣故事[1]里的蠢儿子似的机械论了，乃是不能将“文学是阶级的，党派的，决不是超阶级的自由的东西”这一个原则和实际斗争活生生地

[1] 有这样一个故事：一家人家穷得很，冬天没有棉被盖，只盖稻草，但父亲很爱面子，生怕儿子出外以实际情况告诉人家，所以对儿子说：“倘有别人问你盖什么，你就说盖棉被，切不可说盖稻草。”有一天，客人来了，父亲出去陪坐，他的头发上粘着一根稻草，儿子就走近去说：“爸爸，你的头发上有一条棉被呢”。一九三六年八月二十七日上海

联系起来，而只是不聪明地背诵公式的缘故。倘若“文学在阶级社会里是阶级的，党派的”这一原则是正确的，那么，我们的文学即应当参加或发动为自由的斗争，承认对我们文学有利的自由竞争的办法。在三年前，对“第三种人”说明了“文学的阶级性，党派性”等等的道理，当然是对的，但当时没有积极地联合各派为创作自由而斗争，没有最大限度地在批评上承认“批评自由”的权利的同时，也承认“创作自由”，当然是错误，即在三年后也应当承认的。然而“第三种人”的“坏下去”，决不是我们“骂坏了”，却由于他们自己并不真的要自由，而原意倒是在要剥夺别种作家的自由，这是他们后来的历史事实所证明了的。

××，还有别的人，对于理论的机械的观点，还表现在对于“现实主义创作方法”的理解和它在我们文学运动上的运用上。在《现实主义试论》一文里，××将“世界观”和“创作实践”分开，并且强调着和重复着“世界观”机械论的老调，实在是抽象的主观论的机械的创作观点。他抱着作家研究“正确的世界观”，批评家宣传“正确的世界观”就“保证”使作家走向正确的方向去的见解。然而“正确的世界观”固然是要紧的，但怎样去研究呢？去获得呢？是否买一本《唯物辩证法》来读就够呢？倘若是的，倘若如××似的那样以为“正确的世界观”就在书本上，在亭子间里，那么我们就不能“保证”人能获得“正确的世界观”。……倘若不是这样，那么研究“正确的世界观”，就不能和作家的实践生活与创作实践分开。因为据我们的理解，世界观是表现在作家对于现实的关系上的，所以只有在实践上才表现出来。作家和一个人一样，读社会科学书当然是必要的补助，但主要的应当在他的生活上，在他对于历史的和当时的事象的关心和分析上，在他对于题材的摄取上，在他写作的过程上去获得“正确的世界观”。“正确的世界观”不是一个枣子，可以化一个铜子买来，长久放在袋子里的。不是有“没有实践就没有理论”的名言么？为什么呢？就是说，离开了实践，理论就是停止了的，死了的，灰色的东西。因此，××的机械的观点，在于一则将“世界观”的研究和作家的实践机械的分开，二则强调抽象地研究“世界观”，将“世界观”看成为抽象的东西。由于这样的不正确的了解，就带来了现实主义创作方法的运用和提倡上的不求和实际运动相并进，以及批评家的高谈式的不尽职了。譬如说，我以为在现在的我们的文学运动，使我们的文学和实际生活接近起来，使我们的文学对实际生活的落后的距离减少，是先于一切的，比任何事都重要的；因此，说明摄取什么题材，怎样去摄取的问题，如果对照着我们文学发展的现在的程度，则是提倡现实主义的创作方法的首要的一步。然而我们的批评家似乎并不看重题材的问题，陶醉于“题材不重要，重要的是意识，是世界观”的这样的理论。……

附记：本文原名“对于文学运动几个问题的意见”，以“吕克玉”的笔名发表于“作家”月刊上，系参加当时的文学论争而作的。现在时过境迁，收录于此，也不过只为留一点痕迹，因此改了一个题目，并删去一些在现在是多余的话。原文尚有第五节——“关于批评家的态度与作风”——亦以同样理由，全节删去。

一九四六年五月八日记

关于“艺术大众化”
——答大风社

一 一个论点

开头这一节话，是在诸位所提的问题之外，我设为一个问题的解释放在答案之前了。

“艺术大众化”这口号，到底表现着什么意义？

对这一点，我想可以先记下如下的意见，——就是，“艺术大众化”这口号的根本任务，是配合着整个政治和文化的情势、在解决着现在很迫切的两个问题的：一方面是迫不及待的革命（抗战）的大众政治宣传，一方面又是艺术向更高阶段的发展。

配合整个政治文化情势而提出的“艺术大众化”，要求在艺术上统一着这两个“矛盾的”任务，并表现着艺术的发展的意义。这点，我们略加说明，可以作为我们的论据。

根本上，正确地解决着艺术与政治之间的关系的最基本的原则，是现实主义的创作原则，这在现在，大家都承认的。如此，我们也可以承认——对于以上所说的现在具体的历史任务，现实主义就在政治和文化的现在背景中，而给出了一个明确的具体原则，“艺术大众化”，作为完成现在历史任务的具体路线。政治与艺术的关系之趋于统一的解决，是由于整个国家政治与抗战之（辩证的）统一的开展，抗战与革命之统一的开展，这在现在，且比平时更为加快和更为广幅了。

“艺术大众化”，由于它的问题的提法——它包含广大的全面的内容，和这些内容的历史背景及广大而坚实的现实根据，得到了它的现实主义的统一性与发展性。

“艺术大众化”运动的没有被歪曲的真实的具体内容，现在附记如下——这是七八年前所提出，而现在要更为明确了，即是大众文化生活及艺术生活的组织，大众革命艺术的创造及大众作家的培养，智识者作家之大众生活的体验及艺术形式内容之新的改造，以至大众语的研究及创造，革命文化的启蒙及包括识字运动在内的大众文化水平的提高，甚至革命政治的通过初步艺术形式的大众宣传，等等。这当然是最高的容量的内容；但问题的提法是统一的，一些艺术以外的要素，不但作为政治和文化的一般任务，也作为艺术发展的条件而统一于一个艺术运动之内的。我们不能忘记，这以配合整个政治和文化的情势为一条件。现实主义，在这里被适用到艺术运动的组织及艺术创造的预备条件之准备上去。

关于革命（抗战）对艺术的最广和最高的任务，艺术是否能够在一个运动中实践，以及关于“艺术大众化”是否代表了艺术在这种实践中的斗争和发展，——我们研究了以下的几点，当可以明白。

（一）一般所说的现在历史环境给予出艺术向更高阶段发展的广大基础，指的什么？

（二）所谓艺术向更高阶段的发展，是什么意义？

（三）对于那些根本否认艺术与政治的关系是统一的人，我们不必去说；但我们也不是将两者看作同一东西的单一论者，那么，现在，艺术在怎样地解决着和政治的关系？等等。

我以为我们能够明白地解决这几个问题的理由，就因为——倘若在现在，艺术向更高阶段发展的巨大可能是在于政治战斗和大众活跃的广大深远的艺术源泉及出口，那么，在现在，艺术之向更高阶段发展的意义就在于艺术的革命战斗力之更广大，更坚实，和更雄伟等等，此外不能再有别的意义。而且，如此，则现实主义的“艺术大众化”运动，便非成为艺术向更高飞跃的一个阶梯及飞跃本身之表现不可了。在现在，换句话说，倘若艺术向更高发展是可能的，则“艺术大众化”——它的问题提法及内容如上所说——乃是实现这可能的基础条件，“艺术大众化”本身的开展就成为艺术向更高发展之一种发展的内容和形式。这是很明白的。

然而还有一点，艺术运动或艺术的主动发展之达到这一种认识，趋近这一种和政治的统一，分明是颇长地经过着，并且现在还在进行着艺术运动与政治之间的剧烈的矛盾的斗争的；而且颇长地经过着，现在还在进行着艰苦的艺术运动自身的矛盾的斗争的。而且，这种斗争，现在不过在开展，并不是全部已解决；并且，如果我们愈加要艺术的发展，那便愈加需要着这一种斗争。因为艺术工作不是仅仅被动地服从政治，而是主动地、有自己的战斗律、活泼地为着政治而战斗着的。发展的艺术运动，重复的说，和别的发展的运动一样，向更高发展是它的本性；我们的艺术运动取着“艺术大众化”的路线，虽然抵抗线很大，在艺术运动有它自己的正当的最高目的，即一切“艺术大众化”课题中的革命的抗战的任务之初步的实践，都要使其归结到一点：自己向更高阶段的发展，而跳到对革命的更高的实践。

我们说“艺术大众化”运动，在现在历史背景上，在统一着政治宣传与艺术向更高发展这两个“矛盾”的任务，于是那主要点就在于它表现着——艺术运动进行着与政治情势之间的矛盾的斗争，进而进行着艺术运动自身的从低级向高级发展的矛盾的斗争，使从对革命（抗战）的初步的实践，进到对革命（抗战）的高级的实践。“艺术大众化”，所以，很明显的是在实践政治文化的一般任务中，表现着，在我们是促进着现在艺术发展的这种斗争的过程，使艺术能真实地实现向更高阶段飞跃的一种运动。

这个论点是平凡的。我们去看我们的艺术运动的实际发展，也正是这样情形。“艺术大众化”运动，现在已成为我们文艺运动的基调，明确地说，即我们现在文艺活动和运动的全貌，已可以以民族革命战斗的大众艺术的创造和运动一语概括了的。

但事实，我们的艺术运动，促进着艺术发展的斗争的努力却显然还不足，我们还远未使艺术发展的斗争达到了高点。这表现于创作界的情形，在后面答案中或可具体提到，而表现于理论界的若干偏见，我在这里可顺便略举一二。例如对“艺术大众化”的这种开展的可能，现在还有人抱着根本上怀疑的态度的，这产生两种偏向——或则以对立的，或分离的观点，将“艺术大众化”看成仅是政治宣传和低级艺术活动论而使其和艺术向更高发展的任务分离，甚至对立；或则是一种“艺术大众化”的单纯论（不是统一论），在根本上否认了现在艺术向更高发展的可能与必要，那极端的理论，甚至以为在抗战时期，我们只需极端的单纯，一切高深的理论等等都等于迹近汉奸的阴谋，我们只要使民众从有条件的反射变成为无条件的反射就够了，云云。（这是 ×××

先生的话，但这话，无论单对抗战的政治宣传工作说，或对“艺术大众化”说，都是极显明的偏见罢，因为这是政治或艺术的发展律全部都否认了，但即使我们对于艺术之从低级向高级的发展没有什么兴趣，而抗战的在那里向更高的革命之斗争地发展，我们却不应也不能不看见。）这两种偏见，基本原因由于对于政治文化任务与艺术运动配合的必要，及抗战给予艺术的任务及其发展的基础，缺少明确的分析，于是便不能达到统一的和发展的观点。

第二，在讨论“艺术大众化”的可能性的限度，也即艺术向更高发展的可能性的限度的时候，亦同样显示将问题放在统一发展中解决的态度之缺乏。

再其次，例如在对所谓“旧形式的利用”的问题上，有几个论者，也遗忘了这应在整个大众艺术的发展中去估价的观点。……

二　具体任务及问题

现在回答诸位的问题。

关于艺术之政治的任务，我们大概都完全明白的，但对于抗战的理解，当更明白罢。根据抗战之积极的，革命的本质，那么抗战利益上所必需的一切动员上，组织上，政治的斗争上，一切文化思想的斗争的任务，在原则上都是艺术的任务。不过为了一切这些任务的实践，我们却需不同的方式和方法，就是要组织一种艺术运动。我们于是采取了“艺术大众化”运动。我以为所说的“艺术在抗战中的任务”，应当就是“艺术大众化”运动现在一切具体任务之综合的意思。

“艺术大众化”的具体任务——照我所见的略举概要如下：

（一）大众可能理解或经过解释而能大体地理解的抗战的艺术作品的创造，及所谓先进的革命艺术之大众的改造。——第一，即如宣传抗战的意义，处理抗战的问题，描写并批判抗战期的社会生活，解剖与攻击现在的黑暗势力如汉奸活动及豪绅、奸商、官吏中乘机害民与贪污等现象，描写典型的斗争事件及战役与英雄，鼓励大众战斗，以及输进新观念新思想等等的戏剧、故事、小说、报告文学、诗、民谣、歌曲、壁画、木刻、连环图画、工艺上的一切图案，泥塑、石刻或木雕以及电影等等。这需要动员我们所有全部艺术的才能，才能完成。这些的内容和主题，有的是只能简单，有的却不妨较复杂，以至渐渐复杂和高深。大体的看来，这将不但跟着大众读书的理解力的进步而进步，还跟着作者的处理内容与创造形式的能力的增高而增高，跟着艺术遗产的接受和先进革命艺术的汇合而达到高的成就的。第二，我们已经达到高级的智识者先进的革命艺术，在这里也汇合到一块来，这将使大众艺术迅速发展，并求得它自身的改造，以达到更高的完成。我们为社会（抗战），也为艺术，必须艰苦地战斗地实践这些具体任务，是因为我们是要以这为主要的萌芽，及先进的革命艺术的改造之一契机，而产生具有历史的总括性和高度的思想性及明确而雄健的完成形式的伟大革命艺术的。那么，这些任务的实践，很明白，才正是实际地促进着艺术发展的过程。

（二）在大众中文化生活和艺术生活的组织——并包括大众的文化启发及文化水平的提高。例如兵队中的文化娱乐生活的进行，乡村中的各种抗战的文化和艺术教育的进行。如经由歌咏团、演剧、流动图书馆、画展等等及其他方法而在大众中组织成的各种识字、读书、研究、娱乐及壁报、歌咏演剧等等大众的组织。这些任务，有着极显明的目的：抗战的直接宣传并组织群众；从初步识字，一般启蒙，至于艺术的教育（趣味和思想的改造，艺术理解力的提高）；智识者作家在这种工作中的大众生活的体验；大众中艺术才能发现及培养等等。这原是不但为了抗战的必要，并且配合着政治和文化的条件，对于艺术发展很必要的任务，我们应看成"艺术大众化"本分内而且重要的任务。

（三）大众的报告文学或通信员运动，及大众写作的扶持与教育。——这一条任务，大半本已包括在以上两类任务之内了，但因为培养大众作家的任务是重要的，所以应当特别进行。……

概略地举在以上的任务，一看就知是巨大而艰难的，而且如培养大众作家这任务，看去还有点觉得渺茫。但进行"艺术大众化"，就不得不实践这些任务。现在，在全国范围上，这些任务显然是在被实践着，因此，"大众化"运动在长足地前进。但我以为我们不能不同时看见的，在作家中间，尚存有迟疑和观望的态度，有的人保留着艺术的成见和偏见。因此而来的问题，正就是诸位亦已指出的问题。现在，再就其中的几个，颇反复地继续我的答案罢。

第一，就是我们时常听到质问的：到底政治的通俗宣传品需要，还是大众的艺术需要？——我想，这固然我们常被质问，却谁都可以即刻回答的：抗战的通俗宣传品现在极端的需要，但有艺术力的这种宣传品则更需要。现在的问题是在怎样改善目下流行的拙劣的宣传制作，同时，制作好的有力的抗战大众宣传作品正是我们一个中心任务。这是必要的：抗战以来的事实已证明了拙劣的庸俗不堪的宣传作品，常使大众尤其兵士厌弃，而遇到比较优秀的，能比较有力地打着大众的心和触着问题核心的东西，比较深刻和醒目的东西，就即刻受到热烈的欢迎。这又是可能的：大托尔斯泰的宗教宣传作品，别特芮伊的政治讽刺诗，等等，都是以往的证明，而现在由我们一些作者的努力而得的一些最初的成绩（最明显的成绩是在戏剧上和木刻上），亦可证明了这点。因此，优秀的，雄健的，有力的抗战大众宣传作品，才是现在极端的需要，而首先的责任便放在作家肩上。现在成问题的倒是一些人却都满足于拙劣的庸俗的宣传作品，一些人则根本轻视这一种工作，一些人又在制作上避难趋易，没有用最高努力，以创作的艰苦的功夫（即艺术创作所必需的那种斗争）去达到艺术的地步。我以为解决这些，才是问题的实际解决。应当为着抗战的宣传，征服艺术上的艰苦而斗争的。

第二，是艺术的成长问题——这，在现在常被提起的就是：到底这些宣传品是艺术么？它难道真能成长为高的以至伟大的艺术么？它的成长与艺术的历史传统的关系怎样？所谓先进的革命艺术的改造到底有什么意义，并必要的么？等等。

这问题的解答原则，仍是明白的。关于以上所说的好的有力的抗战宣传品，我想，谁也不敢主张那全是艺术罢。但正和历来以艺术作品的名义而公世的作品不见得都能算得艺术一样，这不是全为艺术，并不为奇，何况这最初是彻头彻尾为宣传的。然而，这里面有着可以发展的丰富的艺术要素，有些则已经是艺术。这也是毫不为奇，因为我们知道，在古代则在关于宗教的纪录和宣传中曾产生艺术的宝贵要素和伟大艺术的成果，在纯为历史的纪录中也有那本身即成为艺术的事；在现代，西欧的革命的战斗的艺术的来源之一是赤裸裸的政治宣传，而作家有意特为宣传而作大众作品者则有上举的大托尔斯泰，别德芮伊及其他的作家。有一件常使纯艺术主义者不信的事——大概宣传力愈大，则艺术要素愈丰富；这些要素的蓄积，锻炼，而成为完全的艺术，并发展到高的伟大的艺术。这种大众艺术的开始生长，对于革命的艺术传统即是一种新的生力，于是使传统充实，并且进而使传统起着质的变化。这是完全合于艺术在与政治的矛盾的斗争中发展的原则，合于艺术的生长的原则的。

这种大众艺术的主张，以及从这大众艺术上的新艺术成长的趋势之强调，在我们决不应看作是斩断了革命的艺术传统而从头来过。这，即使我们愿意，事实上也绝不可能。我们应当看成这是革命的艺术传统凭着现实条件而主动地争取的发展。这种大众艺术及其成长的可能之主张，是完全根据现在历史所有一切现实条件，和应当完全概括世界和中国所有的艺术遗产，特别是革命的艺术传统——先进的革命艺术，及其他的一切力量为自己之用的。倘若没有这些，大众艺术即使可能，也是低级的，原始的，而成长的缓慢也是不可想象的；而有了这些，大众艺术及其成长的巨大可能，才有了保障。“艺术大众化”决不是“迁就大众”，抗战的宣传也决不是“迁就大众”；我们知道，我们是一面去提高和改造大众的政治文化思想艺术的观念，一面去从大众中获得无限的力和艺术的来源。在这里，先进的革命艺术之汇合，便成为大众艺术的创造之必要。大众艺术的创作是应当不停地提高的，只要作者的能力所及；大众的读者的理解力的限制，大部分应求解决于“大众化”的组织的任务，如上所说。

智识者的先进的革命作家应当全部参与大众艺术的事业，这不但为了在大众运动中求得改造，而且就因为大众艺术不在“迁就大众”，却是提高和改造大众；所以，先进的革命作家的参与，便成为实际地媒介革命的新的思想和文化传统于大众的一个契机，成为大众艺术的迅速成长的契机之一。这是非常必需的。但智识者的先进的革命艺术为什么又必需在这里求改造呢？这因为中国的先进革命艺术运动，在中国是崭新的运动，而且大半接受了西欧和苏联的革命思想与艺术之可贵的影响，虽然外来的东西都能够辩证地成为自己的东西，但多少还缺乏在广泛大众中之艺术的生根，同时大众中生长的现实的高贵而丰富的要素，并未被我们先进革命艺术全部地获得。这种获得和艺术的生根，必须在艺术创造的实践中经过着艰苦斗争才能实现的，所以我们说是改造；这改造，就在作家之从事大众艺术的事业中被履行，这种改造的运动，我们将它统一在“艺术大众化”的运动中来，是完全正当的。

对于先进的革命艺术之与大众艺术运动的汇合及在汇合中的改造之必要，现在作家还非常轻视。他们对于“庸俗化”，“低级化”，以至“向后转”的潮流的防御，及先进的革命艺术的必要的强调，都是极正当的。但拒绝这种汇合及放过这种改造的发展机会，则不能说是正当。我这里可以加一点实例的说明，因为人们常提到革命艺术的宝贵传统，而更常以鲁迅先生为例，我们也以鲁迅先生为例罢。革命艺术的传统，通常总以“五四”为起点，……从“五四”发展到现在的革命艺术传统，鲁迅先生确实整个地概括了；但鲁迅先生却是经过了在革命发展中的改造的。在鲁迅先生的思想上从进化论到社会革命论的痕迹与过程是十分显明的，——这大体上可以一九二五——二七年的“大革命”为一界线。鲁迅先生的艺术也给我们留下了显明的痕迹，《三闲集》和《二心集》为先生在革命中改造的新的发展之起点。这种改造的痕迹也留在整个革命艺术传统的历程上。以后鲁迅先生的这种改造还屡见不鲜，这就是先生的思想和艺术之所以更接更厉的向最高峰发展的所在，倘若我们应该学习“鲁迅精神”，那么我想，这就是应该学习的“鲁迅精神”之一。

最后，也可以提到最被人提起的“旧形式的利用”问题。这问题，原则上我们已在上面解决了，就是对于革命的抗战的大众艺术及其成长有利的一切艺术遗产（不论中国或世界的），我们都必须摄取的、“批判地利用的”，尤其世界革命文艺中的大众的形式。现在我们所说的“旧形式的利用”，大半是指中国旧有和现有的民间艺术而言，因为这些为民众所亲近，在民众生活中现在还占着大的势力；这首先对于抗战政治宣传有大可“利用”的便利。但这旧的民间艺术包含着几种要素：一方面是充满着有毒的旧生活习惯和恶劣的低级的观念，一方面又时时闪耀着民众智慧的蓄积的光辉；一方面充满着惊人的警句，特色，神韵和锻炼的简明确定的表现，一方面却差不多全体都是单纯的概念的因循的形式。我们正当的态度是：一则加以深刻的彻底的研究与解剖，借以作我们理解民众观念形态之一助；二则择其宝贵的智慧和有特色的艺术表现之鳞片，作为我们艺术的蓄积，以为我们新艺术创造上的选用。这种工作，才能成为使我们艺术在民众中生根的一个帮助。这是重要的事。但无论为抗战的宣传，为大众艺术的创作，将旧民间艺术的形式按着来套——如民间有一首五更调，我们就按着套了无数抗战的五更调似的那种现象——像从前人填词一样，我却以为很不对的办法。为了抗战宣传的便利，至少，倘以民歌为例，亦可以有字数的增减，音调上的变更和重组罢。我们正当的“利用”，倘具体地说，如以民歌为例，我以为应将旧的形式完全拆散，将其中可用的言语或音节等取来，和我们新的形式的要素，及民众在新的生活与环境和事件中所产生的新观念及新警句和新言语等，综合地重新构成新的大众艺术。

现在可以结束我的答案了。以上所述的“艺术大众化”运动的具体任务，及任务中的问题，我想，也正显示着从“大众化”中将产生革命艺术的高的伟大的成果。至少，“艺术大众化”是这样的一种运动。总之，我们从事“艺术大众化”运动，是正在促进着艺术的发展过程，争取着中国艺术的伟大前途的。

一九三八年十一月十四日

论典型的创造

从某些成功地创造了典型的伟大作家所自述的，和某些批评家所分析的典型创造的过程，我们知道过去艺术上的典型大抵都在如下的情形之下创造出来的：

或者是：艺术家在现实生活的接触与观察中，在对于社会和历史的认识中，有些人物的或思想的形象特别强烈地反映到他的脑子里，他屡次被它们所惹动，而且就渐渐在他心里生长为一个或数个的活的人物，他们的面貌、姿态和他们的命运都明了地展开在他的面前。如培林斯基所说：“他已经很清楚地看见他们，已经可以数清他们衣服上的褶皱，数清他们前额上表示出热情与痛苦的纹路了。”对于这个或这几个人物，艺术家是被感动了，而且被屈服了，无论是爱的，是憎的，他都让他们在自己面前活跃，在自己心里跳动，让他们历险着他们自己的运命，艺术家对他们发生了持久的猛烈的热情，这热情就转化为创造的热情，……伟大的典型最后就创造了出来。倘举例，《阿Q正传》，据鲁迅先生自己的话看来，是这样地创造出来的。但典型的这种创造的过程，是一切艺术家大抵相同的，是一种战斗的过程，艺术家和他的人物搏斗，他的人物和艺术家搏斗，在这种搏斗中艺术家又将他的人物送回到现实生活或历史中去和他们自己的运命搏斗，而且艺术家也跟着一同去搏斗。

或者是：在社会的现实生活的接触中，某种实有的人物，以其特别凸出的性格的全面或一面，引起了艺术家的注意，特别感动他，感到特别有意义，有时是某种人物的特别的遭遇和行为引起了艺术家的强烈的爱和憎，感到那不是偶然而有巨大的意义的，于是这种实有人物和他们的意义就持久地牵着艺术家的心，在他的心里生了根，再也拔不去，而且也就将他们深掘，将他们和别人去比较，将他们放在各种实践的战斗中去试验，将他们的社会的意义扩大，他增加了他们一切方面的特征。这样，在他心中活着的人物已不是原来的实有的人物，而是比原来的更高，更有生命，或甚至和原来的完全不同了。但艺术家到达这地步，以及最后用笔创造出了伟大的典型艺术，那过程是和上面所述的一样的战斗的过程。类似这种情形的例子也是很多的。

将历史的人物，或传说中的人物，或已存在的故事和作品中的人物来创造了典型，那过程也是相同。如“哈孟雷特”、“浮士德”、“堂·吉诃德”等，则艺术家是更在历史的，世界的场面上去活动和思维了。

民众在长期间集体地创造出来的许多传说上的典型人物，不过是民族的、社会的、自然的成分居多，时间非常长，作家不是一人等等的不同罢了。

典型创造的过程，在过去艺术上大抵如此。但现在以至今后，实际情形和艺术的现实目的虽都有不同，而典型创造的那根本的社会生产的法则，还是差不多的；因此，过去的例子也可当作我们的指示。最先我觉得过去的这种创造的实际情形就非常分明地指明着许多关于艺术创造的问题，例如：第一，这指明着生活实践与艺术实践的一致，社会学与美学的一致，科学的理论的认识与诗的艺术的认识的一致。（这种一致，就是社会的，历史的实践。科学的论理的感性和思维能力，及诗的艺术的感性与思维能力，都是人所赋有的，不过无论因为生物学的原因，或因为社会学的原因，比较起来，人却各有差异与特长，如此而已，所谓艺术的特殊性，只是就和科学等比较而说，并不是就社会的实践而说的。）

第二，这指明了典型的普遍性与独特性的一致，指明了为甚么“每个人物都是典型，而同时又是全然特定的个性——这个人”，为甚么所谓“社会的物事”和“个人的物事”是一致的。（这种一致，就是社会的生命。所谓典型的个性，是典型的个性。没有典型的意义的，即没有社会的意义的个人的物事，在典型艺术上是不存在的，阿Q的癞疮疤是社会的物事，他的捉虱子也是社会的事件，和我们平日捉虱子相同而又不同；同样，林黛玉的一颦一笑也都有社会的意义。大托尔斯泰是以喜欢描写日常生活的细节著称的，但在他用了这种方法而造成的那大幅的社会的和历史的生活与氛围气中，我们能够感到那些是个人的物事么？但又怎样能够离个人而存在的呢？一个小小的母亲生出了一个个人的生命，一个大的母亲的艺术家则生出了无数个个人的生命。典型艺术创造的命题，不是为了使典型人物有生气而用个人的物事去弥补，却是要使典型人物更有生命而将个人的物事变成为社会的，典型的，凸出的物事。）

但是，典型艺术的社会生产的法则，却更重要地在指明着一个最根本的问题，就是：典型之社会的，世界的，历史的矛盾性！正是这个问题是根本的，是更重要的。因为这不仅对于现实的认识是根本的问题，也正是艺术生产的根本问题。

我们可以追问：为什么艺术家的艺术创造总非成为生活的历史的实践不可？为什么艺术家的战斗的创造过程就是典型的（比任何个人都活得更大更悠久的）社会的生命的获得的过程？……我们能够回答：艺术家倘若不将自己放在社会的，世界的，历史的矛盾的斗争中，他就不能算是在进行着生活的历史的实践；正是社会的，世界的，历史的矛盾的斗争和对于这种斗争的感觉与认识，在推动着艺术家的艺术创造进到生活的历史的实践。正是这种矛盾的斗争和这种实践，才造成了和发挥了艺术家的天才。典型的精子倘若不是从社会的，世界的，历史的矛盾的斗争中吸取来，也不是放在这种矛盾的斗争中去孕育，展开，和锻炼，那么典型就不能获得巨大的生命；正是社会的，世界的，历史的矛盾的斗争和在这斗争中的人的实践，给予了典型的种子，雏形，并给予滋长和展开的条件。只有在这种斗争和在斗争中的人的实践中，典型才能获得它的生命，才能扩大它的生命和展开它的特征，正和一个社会上的人在他和社会的矛盾的奋斗中才露出了他的生气，展开了他的性格一样。我们可以说，艺术家的热血的心是一个母亲的子宫，同时又是一个宇宙，一个世界，一个社会和一个战场；他是在生产着一个世界，现实的世界经过艺术家的复生产，将它的矛盾的斗争的状态显露得更清楚，更凸出了，而典型总是和他的矛盾地斗争着的世界而俱来的。正是这样，所以艺术的生产与现实的认识是一致的。（也只有这样去看，才能理解“典型环境中的典型性格”这名言的真意。）

因此，我们从这根本上去看，才能理解典型创造的主要的关键。我们都知道伟大的典型艺术都有伟大的思想性和明确的历史性，而且思想力越大，历史性越明确，则这艺术的价值越高，越久。但如果艺术家不从或不能从世界的，历史的，社会的矛盾的根底上着眼和着手，去展开社会的思想形态的斗争，则这艺术家首先是一个微温者，是一个俗流，他的艺术是不会有强大深远的思想力，也不能道出历史的真实的。例如在资本主义社会，倘若艺术家不愿或不能从社会矛盾的根本上去着眼与着手，去展开社会的阶级的思想斗争，则他首先不能有热情，不能有历史的透视，也不能获得那作为阶级性与人类性之矛盾的统一的历史性的明确了。这是任何伟大的典型艺术都可以这样说的。（我们可以去研究“哈孟雷特”、“浮士德”、“堂·吉诃德”、“康迭第”、“死魂灵”，等等，它们都是从社会的，历史的矛盾斗争中摄取题材，在社会思想形态的斗争中展开的。倘不如此，就不会有那么强大的思想力和那么明确的历史性。我们的《阿Q正传》也是如此，倘若鲁迅先生不从中国社会的根本矛盾上去捉住阿Q根性的历史的根源，不借此来展开社会思想形态的战斗，则首先阿Q就不能有这样凸出，而《阿Q正传》也不能具有这样巨大的思想力量和历史的真实。）

因此，典型的这个根本问题，正应当当作典型创造

（就是艺术创造的主要的一面）的根本方法来看。对于现实的认识，首先是从实际的社会生活的实践去达到，但也可以从艺术的追求去达到；创作方法的研究与注意，对于现实的认识，生活的实践，艺术的到达，就都有着帮助。而且，这个根本的问题，对于我们现在，尤其是重要，——我们可以进而分析一下我们最近的文艺看。

我们的文艺发展到最近，已经到了有能力创造典型的地步。鲁迅先生之后，很有作家已经在开始着认真的创造的工作，抱着创造典型的意志和企图，而且文艺的基础已经逐渐巩固。从抗战以来，虽在非常困难的条件之下，文学上却造出了一些活跃的有血有肉的性格。因为有了这种巨大的发展，典型创造的问题就成为有社会兴趣的问题。但是，同样地明白，我们现在已经创造出来的典型艺术，却非常缺少思想力，缺少巨大的热情，尚没有历史性非常明确，社会意义很广大的艺术形象。因此，我们的文艺还未能发挥巨大的感化作用。这仿佛也是大家所公认的，很多人就在喊着“典型的穷乏”呀，“思想力的灰白”呀，等等。那么，“典型的穷乏”，

“思想力的灰白”的原因到底在哪里呢？原因当然是很多的，如许多人所说，但我们如果先从具体的作品去分析，则我们就不能以艺术的描写或表现能力等等原因去说明，因为凡这些，在现在我们有些作家虽不能说是已经很高，却已经相当地高，而且艺术的手段等等是只能在真正的创造中去发展的。我们如果从具体的作品上去看，那么，我们就看见：无论由于作家对于现实生活的“实践不够”也罢，由于作家的“透视力不够”也罢，由于有些近视的浅薄的政治理论和艺术见解所影响也罢，我们现在的典型创造是很少从社会的，世界的，历史的矛盾的根底上去找寻人物形象的特征，尤其不是放在社会的历史的思想形态的广大斗争中去展开人物的思想，感情和性格上一切特征的。——我们艺术还不能带来典型，思想力和历史性的深刻的根本原因，只能从这里去找。(我们可以举实例来说明，——就举张天翼先生的《华威先生》和陈白尘先生的《乱世男女》罢。这两篇从事典型创造的作品，是我认为应该列入作为我们文艺发展的标志的好作品的行列里去的，人们也都认为是好作品，已经有了定评；这两个作者都是有胆量的作者，已经着眼到社会的矛盾。但大家不是依然以为也缺少思想力，缺少典型的深刻性么？那么为什么呢？我以为“华威先生”，这个大家到处看见，到处存在，抗战的民众运动的轰轰烈烈的“指导者”，如果作者将他更深掘下去，将他连根拔出，尤其是毫不姑息地放到更激烈和更广大的社会矛盾的战线上去，将他的冒险历程放在更危险的崖边上去试验，那么，这个人物将更凸出了罢，而作者也将不以政治的表面的讽刺而满足，读者也将觉得在表面的讽刺的背后还有什么东西存在，而引起更悠远的深思罢。倘我们将《华威先生》和鲁迅先生的《高老夫子》来比较地研究，就更可以明白这一点，张天翼先生是比鲁迅先生显得温和了。自然，我们也要想到作者的顾虑，但如果有顾虑，就恰正更说明了以上的观点。其次，陈白尘先生的《乱世男女》，情形虽更复杂，却也更明白。我们且先以作品而论罢，则《乱世男女》所处理的这些给搅浮了起来的“沉渣”是还只放在表面的对照上来展览的，这些沉渣不幸［或运气］被作家取了来示众，然而还是很运气［或不幸］，只是被当作浮了起来的沉渣而被放过了，正如他们平日被当作沉渣而被放过一样。而同时，真的战士，一被放在这样的矛盾的表面的对照上来，也就当然无法展示他的真面貌和灵魂了。我以为这才是《乱世男女》不能带来更高的典型和大的思想力的根本原因。但这只是就作品而论的，倘若我们进一步从作品去研究作者的创作过程，那么我们更懂得一件事，不是在我们看见作者的艺术天才的闪光的同时，即刻看见有一只看不见的手在限制他的创造的自由，结果，使作者调和起来了么？——我觉得作者所用的对照，仿佛是说“有坏人但也有好人呀”，未始不是这种调和的反映。我们读了作者附在作品前面的题记，就更相信作者是处在被束缚的苦痛的矛盾的心理状态里的，而这作品的中心主题的不确定，未始不是这种影响的结果。我们原来处在这样奇怪的状态下：一方面有人喊着“典型的贫乏”，“思想力的灰白”，一方面更多人又在惧怕着不“贫乏”的典型，不“灰白”的思想力的产生，非伸手去扪作者的嘴，夺他的笔不可了。我想，倘若将果戈理的《巡按》和《乱世男女》来比较地研究，那么，可以知道典型的根本问题在那里，可以增加作者的胆量，也可以教益读者，并且还要引起我们的慨叹罢。)

其次,我们也可以从关于典型创造的理论上去看,则有些理论不但由于没有触到典型创造的根本问题和根本的严重现象而显出了破碎和混淆,而且还在教人避免触到社会的思想的矛盾,例如抗战一开始,大家说着新的人物,新的英雄在产生出来了,但还未有功夫去研究新的英雄的特征以前,有的人却先在清算着过去文艺运动的社会斗争论,仿佛炮火是新人物产生的唯一条件,而社会斗争论是发觉新人物的障碍物似的。又例如大家以“汉奸”和民族英雄为现在创造典型的两种主要对象,但对于这两者就流行着超历史的,超阶级条件的理论和倾向,仿佛有一种无性的纯粹的民族英雄或民族战士,教人秉着“英勇”,“牺牲”等等任何时代都有过的人类的美德,放在一个人物身上去创造出民族英雄的典型来,(不,有的人又主张也应当添进一些缺点去的,说是为了使典型有血有肉,为了真实起见!)也同样有无性的纯粹的民族败类。但是这些理论的影响怎样呢?这些理论的影响,就正是“典型的贫乏”和“思想力的灰白”的原因之一;因为这一方面往往也会成为一只加到真实的作家那里去的手，一方面，在这种影响之下产生出来的作品，往往和一些临时的政论同样地浮浅，缺少深刻的历史的认识。因此，针对着这些情形，典型创造从根本上去着眼，在我们现在是特别重要的了。

一九四〇年三月九日

论形象

我们说艺术的根本的特殊性是形象性，这决非说科学就是反形象性的，因为科学固以抽象的思想方法为必要，但科学的真理也是具体的，现实的。

对于客观的现实世界，我们必须从客观的物质的存在的本质上和全体关系上去认识，因而非在可见可感的客观的具体对象上去认识不可，这是科学和艺术都是一致的。蒲力汗诺夫以为虚伪的思想是和艺术的形象不相宜，这一点是非常正确的，因为艺术所追求的正是现实的客观的真实；但当他将“形象的”和“论理的”加以根本的对立，借此来照明艺术的特性为形象的时候，就包含有从认识论上他的“象形文字说”而来的不真确的见解，因为这倘不是说科学的论理性可以和历史具体性分离，那便是说艺术的形象不过只是为了表现人的思想和感情的手段，却并非客观现实的真实形象本身了。但是，如果以形象性为艺术的根本的特性，就必须从“艺术是客观的现实的反映”这真理出发。

艺术和科学的任务都是客观现实的认识，在把握客观现实的真实这一项巨大的实践工作上，科学和艺术是分工合作的；艺术不同于科学，是在于艺术是进行着诗的创造去把握客观现实的真实，而科学则进行着发现和发明的创造工作，以把握客观现实的真实。关于诗，艺术和关于科学，我们现在都已有一个明确的概念，但两者各自的本质和特殊性是人类的智的活动的历史——人类认识世界的历史所形成，而且现在还在发展和变化着；在人类的智的活动还停留在幼稚的阶段的时候，艺术的活动和科学的活动就浑然不分。艺术和科学是同源的，都是由于人类实践的需要而对于客观世界的认识，探索，并且是作为实践的创造。艺术的创造，和科学的发现与发明，就先有着一致性，而两者的一致性和各自的特殊性，都由客观现实的真实的认识这实践的任务所决定的。因此，在艺术，客观现实的真实性这艺术的根本的意义决定着艺术形象性的根本意义，而艺术和科学相同而又不同的，便是艺术的把握客观现实的真实，非有诗的艺术的创造的工程和方法不可，首先是现实的真实的把握，同时是艺术的和形象的把握的统一的意思上。

和自然科学比较，艺术——尤其是文学就更接近着人类社会的历史科学；艺术的真实性和形象就正是人类社会生活和社会历史的真实性和形象。但是，以为历史科学的任务只是人类社会所发生的事实的搜集，记录，和堆积，是完全陈旧的不真确的见解了；历史科学是以认识人类社会的历史的真实为职志的，因此，历史科学必须对人类社会生活和社会现象作全面的本质的研究与探索，必须从历史的外在的东西中寻出历史的发动力，寻出物质的，现实的，社会的矛盾的斗争及其统一和发展；必须将那隐藏在历史事实和现象背后的一切秘密掘发出来。只有这样，历史科学才作为历史的真实的认识而成为必要，成为实践。在这一点，艺术和文学是完全和历史科学一致的，而且是艺术和文学的根本。艺术的描写社会生活，它的认识与创造，倘不以现实的历史的真实之获得为职志，就根本不能胜任。艺术同样要探索社会生活的现实的本质和全面的关系，要认识社会的，历史的矛盾斗争及其原动力和发展，发掘在现象和事实里面或背后的隐藏的秘密。正在这里，艺术获得它的创造和独创的最先的意义，那和科学的发现上所显示同样的人类的创造力，就首先而且最根本地在这里显示出来。艺术的内容和人物的典型与特征，就完全不能脱离现实社会的具体历史环境的典型状态和特征；艺术所描写的是社会的真实的人，只有在具体的历史的典型环境里才能描写出典型人物。因此，艺术的典型性，是离不开社会矛盾性和历史时代性的意义的。艺术的真实是现实的历史的真实，艺术和历史科学的这个根本的一致性，这并不能使我们否认了艺术的特殊性和艺术存在的必要；但艺术或诗这东西，那根本的最先的意义，就不能不说是现实生活的真实性之意识的反映的最高形态之一。

诗的创造，艺术的创造，于是，非有那以获得现实的历史的真实来做艺术的实践目的和创造的生命源泉的，艺术创造的那种艰苦的历程及其方法，就不能胜任。真正的艺术创造的那种艰苦的历程，并非新闻记事一般的描写生活，或照相似的创造形象的作家所能理解和愿意过问的，也不是将艺术的特殊性带到空虚的意义里而离开现实的战斗的艺术家所能接近得到那内心。艺术的创造的过程是客观现实的认识的过程，而且又是艺术品的生产过程。现实生活与实践引起人的创造欲和艺术行为，并且支配着创造的方向与规律，而艺术又作为当作现实的镜子看的认识，作为实践的指导，还作为美术生产品而被完成，——这之间的矛盾的统一是很自然的，但正说明着艺术创造的本质。首先，在艺术创造上，创造者的锐利深入的观察和深思熟考的一往直前的认识的精神和能力，固然是必要的，而且更需要着社会的历史实践的关心，热情和意志。将实践的主观服从于认识的客观，而又将认识的客观移行于实践的主观，——这种统一的过程，才是艺术创造所必须争取到的过程。艺术的认识和创造，反映着人类的认识与实践的关系，反映着人与现实之间的实践的战斗的关系，根本地反映着从“客观存在之物”变成为“我们之物”的过程，也显示着要将历史“发展的自然过程”变成为“人们的自觉活动”的意欲和努力。艺术是于反映人类的社会的实践的真实中，反映着客观现实世界的真实的。在以反映现实客观与实践的真实为任务的艺术，这种艰苦的战斗的创造历程，和科学的认识与创造的艰难一样，是人的认识过程与实践过程的客观规律性所决定的；而作为美术品的生产或完成看的那创造的方法和精神也由此而来，而且反映着人类实践上的创造欲和劳动律。

艺术是精神生产之一，是美术的生产，那主要的特征就是形象。人在作为生产的创造上，总以创造物自身的满好的完成为必要，而要求着创造者的精力和心血及一切技术；但艺术的这种精神的生产，却以反映现实及实践的真实为创造的中心任务和基础；作为艺术的生产或创造，就要将这驾御和统一于美术的生产的规律和工程，而创造出形象的艺术品；这就使艺术的那种超于寻常的艰苦的创造历程及其特殊的方法，更加一层的必要了。但作为生产的创造是由作为现实的真实的掘发的创造所决定的，因为艺术的形象是客观现实存在的形象的反映；艺术形象的生长及其完整的完成过程，恰正体现着客观现实的真实的一步一步地被发现的过程；而艺术家的创造欲，不外是客观和实践的真理的探求志向和美术创造之总和，并且只有在现实生活上有所发现的时候，创造欲才能旺发起来的。艺术创造的过程，是成立于客观真理的探求，艺术家主观实践的主意及创造志趣之矛盾与统一的发展上的；艺术家在创造中所必经的苦闷，及一切看来好像不可思议的无秩序可寻的精神活动的秘密，都系于这个矛盾的斗争及其统一点的获得上。这是一种聚集着而且精炼了实践生活的斗争的战斗的过程。但当客观真理的探求，主观实践的主意，和艺术创造的志趣，达到高度的统一的时候，当体现着这高度的统一的诗的形象，栩栩欲生地呈现在艺术家面前来的时候，艺术家的胜利的愉悦，也确非常人所能了解的。（但科学家获得科学的真理的公式的时候，情形就大抵相同罢。）培林斯基所作的那有名的创作过程的描写，以及别的人们将艺术创造工作看得那样崇高和秘密，在我们看来也不为奇怪，而且能够说明，还能够纠正其中的神秘的说法。但艺术和艺术形象，大抵都经过类似这样的创造过程而生长和完成起来的，艺术和艺术形象的生命是这样地获得和养护起来的。这里，我们所看重的并非创造过程本身，这是可以变动的，随着各人的天才和别的条件的不同而各自不同的，而且也一定将随着时代，社会和文化的发展而变化着的；我们所看重的是艺术的形象必须反映着客观现实和实践的历史的真实，而艺术是只有在客观真理，主观实践，和艺术创造达到高度的统一的时候才能获得生命，这是从艺术创造的过程上也能得到说明的。但这也说明了为什么艺术是现实生活的反映，但不是一切反映都是艺术，为什么一般新闻记事式的和照相机的反映不能成为艺术形象的理由。

对于艺术形象的考察，当然可以不必从它如何完成的过程上去看，而只从完成了的艺术形象本身上去看的，即看它所反映的现实的历史的真实的深浅和阔狭。艺术形象及其生命，不是在一般的抽象的概念里的形象自身所能决定的，因为我们在艺术上就未看见过一般的形象；艺术形象总是反映着现实的具体的历史真实才获得它的重要的巨大意义的。只有现实的历史的真实，才是艺术和艺术形象的生命和生气的基础。某些仅止于描写了生活的外表和琐事的作品，即使描写得非常生动和出色，也只带来了一些现象的片断，却并没有带来了真的艺术形象的生命。典型的创造，是艺术的形象的创造所自然地和必须要达到的境地。典型的创造，如我们知道的，就于具体社会的历史状态里，描写出实践的人的真实的姿态来，这是典型和一切艺术形象的创造的真谛。社会的普遍的东西和个人的个别的东西的统一，不仅是艺术形象创造所必须争取到的客观的认识法则，而且也只有争取到这法则才能给予艺术形象和人物的巨大的真实的生命和生气，因为个别的东西中就包含着普遍的东西，而普遍的东西只能在个别的东西里才具体地表现出来，同时，个别的东西或个人离开了实践的社会的历史的关系，是没有意义的，但这些关系却是在个人的行动中产生出来。在艺术的创造上，“典型化”和“个性化”的法则是在形象创造的同一的法则中，并且经常是在创造的同一过程中进行的，而它们的唯一的客观标准是现实的历史的真实及其生命。形象或典型的创造的过程，始于从个别的个人（自然可以从许多个的个人）的社会的阶级的具体历史关系的掘发，而终于在社会的阶级的具体历史环境里的真实的个人的行动和姿态的确证。因此，“典型化”和“个性化”的创造法则是反映着个人和社会的矛盾与统一的关系，而艺术创造也只有掘发出人物之社会的矛盾的关系来，才能使人物和形象有生命而反映出历史的真实。典型创造是将个人的物事变成为社会的，典型的，凸出的物事，即将个人的社会关系加以掘发而凸出地显示出来，——这个“典型化”的过程，于是一方面也是“个性化”的过程。因此，那种仿佛将许多个人的性格上的种种类似的特征堆聚和罗列起来的倾向与说法，以及那种仿佛为了人物有生命而以个人的物事去弥补，去黏贴的倾向与说法，都是和“典型化”及“个性化”的原则和精神完全不同的，而且忽视了典型创造的根本问题。艺术的生命是现实的历史的真实性，艺术形象和人物的生命和生气是在具体社会的实践和生活中的真实的人们的生命和生气之在艺术上的移植，不但被作家所描述，而且被作家所养护。

其次，艺术的形象，自然以感觉和感性为基础，以赋有感性为必要；但这只是基础，只是必要之一，那以为艺术的形象性完全依存于感觉的特征的见解，是并不真确的。感觉是人对客观世界的认识的唯一的基础，是思维与一切思想的基础与源泉，无论科学或艺术的认识客观都是从感觉开始，这是不用说的。在艺术，直接的经验广阔与否及感觉的锐敏和真切与否，是决定艺术和艺术形象的真实的深浅和生命的贫富的关键之一。并且艺术的感觉的特征是历史的，因为从原始人在思维与直感是相同的时候产生艺术以来，就将感觉的特征发展下来的。这些都是不用说的，重要的。但在发达的艺术，在反映着现实的历史的真实的高级的艺术和艺术形象，艺术的认识是即刻发展到思维的领域了的；就是说，在艺术形象里，思想性是即刻成为重要了的；这种发展也正反映着艺术认识的历史之发展的进度。同时也反映着社会关系的复杂的发展的进度。在艺术，和在科学一样，思维是反映着那反映在感觉里的客观对象的深度和全面性的继续发现的，这是经验和感觉的蓄积的结果所必定要发展开去的人的脑髓的运动，因此，思维不仅为了纠正和决定感觉的真确，尤其是对于对象的本质的把握上所必需的。因此，在艺术，真确的思想所反映的现实真实性，是决定比仅仅感觉的经验所反映的更深刻和更广大。广大而丰富的生活的经验是广大而丰富的思想的源泉，而艺术和艺术形象就不仅要反映广大而丰富的生活现象，并且要表现广大而丰富的思想，复杂纵横的生活关系。在艺术形象的创造上，相当于科学的推理的那种想像是需要的；而且，在科学上的抽象的法则，在艺术上则是普遍化的法则，典型化的法则，这种思维过程是形象创造所必需的，因为普遍化的形象，形式上虽然和事实及个别现象不同，而在本质上却反映了更大的真实性。

一九四〇年四月二十日

文艺与政论

文艺和政治的关系，是文艺和生活的关系的根本形态，因为文艺是生活的实践，它和现实社会生活的相互关系就构成它和现实社会生活之间的政治的关系；这和政治事业对于现实社会生活的实践的关系在根本上是没有两样的。文艺和政治的联结——首先例如对于社会的政治活动的联系和服务，我们不能看那作品中是否宣布着政治思想或理论的事来论断，主要地是要看那作品所发生的社会的，政治的意义和效果。恩格斯在写给哈克奈斯女士的一封信里曾说道：

> 我决不责备你，怪你没有写一部纯粹社会主义的小说，像我们德国人所说的"有倾向的小说"，就是一定要在小说里面，宣布作

> 者的社会思想和政治思想。我完全不是这样想法……

而且据注释家说，恩格斯在这处的稿纸边上还添了这样意思的一句话：

> 作者的意见越是隐藏，对于艺术作品也就越发好。

但这和带着政论性质的艺术作品却完全不冲突，在许多伟大的作家中，就有很多人并不避去在自己作品里公然地宣布着自己的社会思想和政治思想，并且还有以政论为主，艺术为副，不过借艺术的形式来发表政论，而他们的作品却以政论性的特征，在文艺史上居着不可动摇的地位。例如据我们所知道的作家，即使不算但丁、海涅、果戈理、涅克拉梭夫，等等在内，而福尔特尔，萨尔谛珂夫、谢特林，等等，是最显明的例子；在最近，则如苏联的大众诗人别德芮伊，德国的报告文学者基希，我们自己的鲁迅先生，也是最显明的例子。

可是，这和恩格斯的话并不冲突，而且出于同一的艺术的基本法则。

因为文艺和政治的关系，是文艺与现实生活的关系的根本形态；文艺本身是政治的，也不能不是党派的，它对于社会的政治活动也或者社会的合流，或者社会的对立；从文艺本身的社会实践的政治性看来，文艺可以说是社会的政治关系和政治活动的一种特殊的形态；文艺和政论的结合，不但是完全可能，还正是文艺和生活的密切的关系所极自然地要达到的结合。这种结合，不但文艺露骨地尖锐地为政论所用，并且政论也带来了文艺的（提升——编者加）。

同时，很明白的：政治和文艺的这种尖锐的联结形式，它带来的是生活战斗的活泼丰富的泼辣的内容和姿态，伟大的热情和透辟的思想，而不是抽象的概念和主观的偏见或浮表的议论。我们知道有那些政论性的伟大的艺术作品的作者，但我们却不知道概念和偏见的滔滔的议论的艺术作品。如果恩格斯说，——也不止恩格斯一个人这样说，——作者的意见越是隐藏，对于艺术作品也就越发好，这是道破了艺术的一个秘密的一句话，那就应该对于一切艺术都适用，不能有例外。恩格斯并非说作者不可以使自己的作品有政治思想或政治倾向，这是不用说的；而另一个伟大的指导者就还说革命的作家并不隐藏自己和革命的事业的公然的联系。文艺所追求的是现实的历史的真实；文艺的政治的意义就建立在这现实的历史的真实的获得上，建立在艺术的真实与现实的真实的相互关系上。艺术的真实是人——艺术家所追求和争取到的现实的真实，是人和现实之间的真实关系（实践）的把握。这样，主观的政治偏见和各种浮浅的成见可以妨碍作家对于现实的认识；同时，没有认识现实或浮表的认识也可以得出关于实践的浅陋的意见和思想。这些都和艺术不相宜，因为作为政治思想，作为政论，先已经是无价值的东西了，这就先已经不合于艺术的性质。恩格斯并且还教人像巴尔扎克似地违背他自己的阶级偏见与政治成见去探求现实的历史的真理。但如果作家所获得的艺术的真实，正是现实的历史的真实，是人与现实之间的真确的实践关系，则这个也正是真正的政论或历史科学等等所追求的真实，而宣布这真实就不单是政论或历史科学等等的任务，这也是艺术本身的根本的任务。这个真实是恩格斯所要求的现实主义的真实，也是他曾要求于社会主义诗歌的真实。这样的真实的发现，是使巴尔扎克似的伟大艺术家不能不违背他的阶级的政治成见了。作家宣布这样的真实，用隐藏的方法或用显露的方法，是完全有他的自由的。

但是，虽说自由，却总是由社会和时代的条件及艺术家的魄力，眼光，与力量所决定，而且还创造出分明的时代的特色。政论性显露地被表现着的伟大的文艺作品，它总带来社会的深刻锐利的正视，对一切虚伪的大胆的揭破，伟大的热情和深远隽永的卓拔的思想，那形象和艺术形式是特别泼辣而生动的。达到了现实的真实的文艺的政论性，总是在本质上不失其为诗的；它总和现实的生活的形象不致分离，也必不可分离的；艺术和政论的这种结合，也和艺术作品的内容与形式的美术性不致分离，也必不可分离的。我们所知道的有政论性的特征的伟大作品，作家所宣布的主观的政治思想就总是和现实的客观的历史的真实相吻合；这种吻合，却只有那前进的革命的作家，和那有胆力抛除自己的政治的偏见而探求现实的历史的真理的伟大艺术家，才有可能。作家的政治思想或社会思想一定是社会性很广阔而深刻，是从政治的社会的斗争的表面深入到社会思想形态的斗争，还一定伴着对于现实生活的实践的伟大热情，这热情是真实的，社会的，广大的。一切作品的政论的性质总一定跟着生活的连肉带血的形象，一定是社会的诗的真实。

现在我们所要求的文艺，并非都要在作品中有政论式的表示。我们不能也不应抱狭隘的态度。我们所要求的是表现生活的真实的文艺。作品写出生活的真实，这就是它在“说着什么”了，读者也就得着什么了。这是我们能够也应该这样说的。可是，根据同样的理由，我们文艺也不能排除政论。我们现在就正特别地要求着文艺为人民和社会的战斗作宣传教育之用。我们的文艺，无论显露或不显露，政论性就不能不特别地浓厚。这是我们时代的特点。

政治的宣传教育之需要于文艺，自然是运用文艺的特殊的有效的条件和方法，但文艺必须从这宣传教育上生长和壮大起来。我们二十多年来的文艺的主要的特征，正是民众的启蒙的教育的特征。我们的基本的态度，是将文艺作为改造社会，人民争取解放之广阔的武器。二十多年来，特别近十年和抗战以来，为民族革命服务，是差不多没有一个主要的作家是除外的。在这二十多年中，鲁迅先生是我们文艺的实力和高峰，而且是我们全体的特征——他的启蒙主义的现实主义小说，尤其是他用“杂感”这艺术形式和社会批评及时事评论的结合，是我们的战斗的文艺的最高的姿态与模范。鲁迅先生的小说，如他自己所说，是启蒙的，是包含着社会问题和思想问题的；而他的“杂感”更开辟了世界战斗文艺的一个伟大的生面。但鲁迅先生所带来的，是他卓拔而深远的思想，他的锐利而准确的广大的眼光，他的伟大的热情，他的从生活的具体的微细问题深突到现实的历史的真实，从社会问题的表面剥取出社会思想形态斗争的本质，以及他的泼辣而广阔的艺术形式。他的杂感也充满着生活的连肉带血的具体性和思想的典型性的。他的杂感是思想的，独创的诗。

别的主要的作家，也都以自己的作品的效果引起实践的斗争为文艺活动的目的，并且就从这上面获得了艺术的精神。无论企图史诗似地描写大众的战斗事件，或者以某种社会的或政治的问题或教训为作品中心而描写着生活，或者是仅仅人物性格的雕划，作家即使装着客观的或纯艺术的面孔，也都向着某种宣传教育的效果的，即是示给读者某种战斗的图画，或给读者某种刺激和问题，以引起实践上的战斗。这是我们文艺的革命的战斗的传统，从这里生长着我们的文艺。

但我们非从现在跨出一步去不可。和我们的战斗的特征一起，还应该看见在文艺和政治的联结上所表现着的所谓公式主义。这公式主义，对于我们文艺的发展和壮大是有阻碍的。公式主义的原因是很多的，首先自然是如大家所说，由于作家“缺少生活的体会”的缘故，但我觉得尤其是由于缺乏探求的大胆的思想和深视现实的魄力和勇气，以及对于实践战斗的麻痹或虚伪的态度而来的；一方面又恰正是言论思想不自由的结果，同时一些关于政治和文艺的浅陋的见解也给了不少的影响。结果，公式主义，表面上虽一步也不离政治的口号，但和生活及实践战斗却越来越远了。

于是，公式主义之最下的也是最末的公式，是将时行的政治口号，胡诌出故事，生编出人物，说这是“形象化”；或者，在任何不相干的故事的煞尾或中间，插进一两个时行的政治口号，或用别的转弯抹角的方法，总要和当时的政治斗争发生一点公然的关系，说这是和革命或抗战联系起来了；等等，等等。无论由于被动的或自愿的原因，作家是完全失去了独创性，他只表示出思想的政治的无能，而和文艺的创造是相距很远的。

自然，这并不妨害我们文艺的宣传教育的正大的任务和特征；要消除公式主义，决不在于宣传教育任务的放弃。但因此，我们就得消灭公式主义，得从现在跨出一步去，并且要明白公式主义的并不浅的根源。

我们必须掊击两种错误的意见和态度：第一，以为现实之政治的认识是极容易的，政治总是那么一套，将所谓“江湖十八诀”，或所谓“抗战八股”，都当作政论看待。第二，以为文艺和政治的联结，就只是要作家在时行的政治口号下写作品，如某君所说，“政治家出题目，作家写文章，一个口号写一篇”，云云。或者甚至只许作家千万遍的一色的反复着“抗战必胜，建国必成”这两句所谓最稳当的话。这些见解是非常有害的。我们知道，真正的政论是卓拔的社会思想，是现实的历史的真理的发现与阐明，而且跟着现实战斗的进展而发展，也常常有所预见的。真正的政论，对于作家的创作就有补助，也可采用，但作家不但应该自己在生活里有所见，至少亦应该有所洞见，而且在政治上亦应有所新见和预见的。这是作家应有的责任和权利。

自然，从事文艺的人就还应当进一步地理解艺术在现实的认识与实践上，和政论或历史科学等等的一致性及艺术的特殊性，因而也要排除那将艺术的特殊性带到神秘的或空虚的意义里去的偏见。文艺之不同于政论，正如政论不同于文艺，是不用说的。所谓艺术的认识，是现实的真实的认识，于是不能不在生活的全体关系和本质上去认识，因而就不能不在生活的可见可感的具体对象里去认识；这是和历史科学，政论等等的认识现实都是一致的。不过从这一致点出发，文艺就和历史科学，政论等等分路，沿着从有文艺以来所历史地发展下来的诗的特殊的路发展。文艺的这个特殊的路，不用说，在人类精神生活上有它独特的作用，是科学所不能代替的，正和文艺也不能代替科学一样。但因此，文艺对于现实之“诗的”和“形象的”把握，在文艺，则和它对于现实之思想的政治的把握，完全是一件事情。在现在，我们文艺的“诗”和“形象”的低下，自然是和我们文艺的思想性和政治性的低下的现象不可分离的。在要求作家“深入生活”，“体验生活”，或接受某种思想概念的同时，还应该要求作家要有对现实生活的深入的正视，大胆的思索，无畏的说出真理的勇气和魄力；在现在，尤其还应该要求给予作家敢于这样大胆地正视，思索和说出的言论思想的自由！

作家从生活里面掘发出来的思想和政治观念，在作品里表现出来不但是极自然，而且非常珍贵。我们固然不能要求每个作家都是伟大的思想家，但在思想上庸碌，因循，或者只准庸碌因循，而不能或不敢大胆地深视现实和深入的思索，甚至简直是虚伪，却不能产生卓拔的艺术。

因此，在我们正要从现在的艺术的和思想的基础跨出去一步的今天，要求着卓拔的艺术，也正是要求着卓拔的社会思想和政治思想的质地；而突出作家本身和环境的束缚与短视，抛弃一般关于文艺和政治的浅陋的见解，就都是我们的正当的态度。

一九四〇年五月十三日

形式问题杂记

在旧和新的文化与艺术的过渡时代（即在旧和新的生活的过渡时代），形式和内容的关系是更加复杂的，形式反映着内容之生活的思想的旧和新的要素的矛盾，就非常复杂和明显。新旧形式之间的矛盾，常常是反映着内容和形式，内容与内容，艺术和生活，及生活和生活之间的矛盾。

因此，在旧新文化的过渡时代，形式对于内容的反作用也更加显著。一方面，有新形式（作为生活的新的要素）在导入和引起新的内容；另方面，旧形式（作为生活的旧的要素）在尽量地限制着，改作着和压杀着新的内容。这两种反作用都很显著，这种形式和内容之间的矛盾，是反映着旧形式和新形式，旧内容和新内容，及旧文化和新文化，旧生活和新生活之间的矛盾的斗争的。

形式是内容向形式的发展。形式也是向内容发展的，是从形式去发展内容的。于是，形式的完成，在生活和文化上就有相对独立的价值，——但自然这并非和内容分离的。旧新文化的过渡时代，也就是新文化的创造和战斗任务特别分明的时代；例如在我们现在，新文学和新艺术的创造上，内容对于形式的优势就更加分明，也更加必要，新形式的创造就更重要，对于新生活与新文化的战斗的，创造的意义也都很重大。

因此，我们现在文艺的形式创造的任务，就有着这样的特点：由于内容的优势的必要，形式的能动性的发挥就更必要，而且也更可能。形式的思想意义是特别显明和必要的，新旧的形式的斗争是应当尽量发展并应使其带着社会思想形态斗争的色彩的。由于内容的优势的必要，既然要求着形式对于内容的积极的反作用，而形式的新创性也更被要求着。新的文学和新的艺术之形式的、样式的创造的要求，是被我们文艺的近的战斗任务和世界文化的远景照得很明白的。因此，新形式的创造是很重要的；我们的创造以至选择的原则也可以说是明白的：

第一，我们的形式自然是要独创的，这不仅和既存的文学与艺术的对比而说，而尤其是就文化的创造的本质而说；不仅为了增加世界文化的特色而说，尤其是为了极大限度地适合新的内容，发展新的文化的本质而说的。

第二，是发展的，和选择那能够发展的。我们的方向不是某一旧的文化传统的完成，却是世界文化的改造，它的新的发展，是新的文化的创始。我们都是新始的，要发展的；于是，在选择上，倘若资产阶级和一切过去的文学艺术的某些形式，已经发展到极点，和它的特定的社会的内容凝结在一起，已经是硬化了，再也不能在新的情势下来变化发展，则必须抛弃，但去选择一切能够发展和正待发展的形式与要素。

第三，是对抗的。在和一切旧的文化的对抗上，不仅由于我们思想战斗任务所决定，获得对于旧的文化的破坏的和抗毒的作用，而且也成为新的创造的动机。倘若旧的艺术是新的艺术的对立物，则我们是正作为旧艺术的对立物而创造着新艺术了。因此，譬如说，对抗着旧艺术中的病态的，厌倦的，或晦暗的倾向，我们就选择和创造那强健的，清新的，精确的形式……（这对抗，自然为社会生活的新旧的矛盾斗争所决定，又负着反对旧的反动的生活和文化的战斗任务。）

但是，第四，还要有定则的，有定向的；所有这些原则，还必须有一个基本的原则为出发点和归根点，要使形式的发展归向它自己的一定的方向。因为我们的形式，既由一定的社会发展条件和一定的内容所决定，向着它一定的方向发展，又必须向着新的艺术样式和艺术风纪的形成的。

根据上面所说，我们现在可以有和非有不可的基本原则和定向，我们可以说，正是大众性的原则和方向。但不用说，这大众性应当从发展的，艺术的，本质的意义上去理解，即艺术之生活性，思想性，强健性，和广阔性，等等之最大限度的现实性。这是我们的生活，内容和文化的战斗任务所决定，也是世界新文化的远景所照明，这才是我们艺术所要求的方向。

如果这样，则形式创造的大众性的定向，是使我们的独创的，发展的，对抗的这些原则也有着自己的一定方向的，这些就不仅向着内容而发展，而且也将向着形式，向着有自己的特色的形式系统的形成而发展。这些原则是必须的，它们也能动地在创造着和在造成着一定的方向；但大众性的原则又必将最大限度的现实性带来给它们了。

同时，大众性的形式原则，主要的特点，最先就应当是形式和内容的一致；形式和内容之对立的统一——应当是内容的优势的保障和形式的能动的服务。对于这原则，形式的生活性（一切的雄健，发扬，有血，活泼，清新，等等），就特别地重要；形式的美的基础及它和内容的一致的基础，都是现实的，生活的，存在于内容中的。形式的思想性（一切的丰广，透明，深刻，精确，和刚强，等等），因此，也是特别重要的；这将不但使形式也和内容一样富有战斗力，而且也是大众主义艺术的形式的美之真实的基础。但是，大众性原则的形式，也是局限性最小的，因为它的创造的源泉和现实性是特别地富足和最大限度的：

第一，我们的文化是对抗着过去所有的文化，同时又综合着过去的文化而发展着它。这种对立和发展是我们创造的基础和源泉。

第二，我们的艺术，是向着生活和世界文化的本质迈进的，现实生活的汪洋大海和世界文化的汇流是我们创造的背景和源泉。

第三，我们是向着大众之生活的和文化的解放的，特别重要的是我们将拥有着大众的多数的天才之创造的总流，而这总流的源泉和发展是无穷尽的。——总之，我们的创造和独创的现实基础及源泉是广大而深远，而大众性原则的形式就以局限性最小为特点。

我们现在文艺的实际情形——我们的内容的特色是分明的，而且已经由内容而形成着显著的文艺的中心系统（社会的，民族的革命的文艺）。但形式却还是几乎无特色的；概括地说来，形式的落后性是更加显明。即内容也大半还未达到广阔和深远；内容对于形式的主使力就不很强；于是形式对于内容的增进的反作用既弱，形式对于内容的限制性却很大而且很显著。我们的艺术能力，概括地说，还在世界的水平之下，又由于我们民族的文化之一般的落后，这就使我们对于世界文艺的现存的和旧的形式的追求和袭用，远超过我们对于它们的改造和对于自己新的独创的精进。在我们这里，新的形式的萌芽多未被发展，而旧形式就能够残留着，虽然也已显出它们的破碎和“灰白”。一般地说来，社会思想形态的斗争虽很剧烈，而新旧形式的矛盾的斗争却在疲乏的状态里。这就说明着我们对于形式创造的努力与战斗是十分急需的了。但虽然如此，作家对于旧形式的无力也已感到，并且在寻求着新的形式；又由于“艺术大众化”运动的推动，形式的大众性的方向在文艺发展的趋势上也已造成着一种实际的势力；对于这种势力有的作家已经觉得，并且更引起他们对于形式问题的苦闷和研究。一年来，民族形式的被提出，是作为大众形式而提出的。无论怎样，形式创造任务和创造的大众性的基本方向，不久也就会引起更深刻的普遍的注意罢。

一九四〇年一月廿五日

民族性与民族形式

艺术和一般文化的民族的特质，是和它那人类的，世界的本质处在辩证的关系中，这关系也在形式和内容的关系中表现着。我们从形式和内容的关系上，也可以看清楚所谓“民族性”的地位。

我们倘使从形式和内容的关系上去看，则所谓“民族性”，首先是存在各民族在其生活斗争的发展过程中独自地创造着的文化形式的特性上的，例如在语言、诗歌、建筑、演剧、跳舞、音乐、装饰及其他生活样式上无数的各种各样不同的文化形式上面，各民族都表现着它的民族的特质。在这里，这特质是对内容的世界的本质而说的；并且在这里，内容的民族的特质是在形式的民族的特质上表现出来的。于是，从形式和内容的关系上来看，则在人类跟着生产力的发展，各民族的生产关系和社会关系都发展着、发生着变化的时候，各民族的文化形式首先就已跟着内容，跟着新的社会生活而起着变化了；这时又是人类有世界的结合的必要的时候，各民族的文化就又发生着交互的关系，而互相影响，起着变化，并且在形成着国际的文化。在这样的时候，“民族性”才开始作为问题，但“民族性”本身却已经在被扬弃着。由于民族内社会关系的变化和各民族交互影响而来的国际文化的形成的过程，是文化的特质向着本质发展的过程；从形式和内容的关系来说，就是形式跟着内容发展的过程。归结便是所谓民族之国际化。换言之，就是各民族文化既具有世界性的内容，这世界性的内容既必然而且必须具形为有民族特质的民族形式而存在，则民族文化之形式上的民族的特质，也是具有它在文化上的民族的价值。而且也将和内容不可分离地取得世界的价值。——但这种民族的特质之向着世界的本质的发展过程，是一种矛盾斗争的过程，也便是形式之依存于内容的斗争的过程。而在这过程上，民族形式必然而且必须在世界化着，国际化着了。——所以，从形式和内容关系的发展看来，则民族之国际化是民族文化发展的内在的必然性，也是非常明白的，而且又是民族文化发展所必需的。这样，“民族性”问题在文化上是失去了独立的意义的，它的意义是只能在文化的民族形式的特质上去求，而且这是由内容和本质所决定的。文化的“民族性”正是处在被扬弃的过程上，我们只能这样地估定它的地位。

文化和艺术的发展的辩证法，是人类生活的实践上的辩证法。人类生活的实践的辩证法，是民族的国际化，即各民族之平等的互爱的世界的团结，而这团结是必须通过各民族内的阶级斗争及无产阶级革命的路。自然，我们还需要注意到民族意识和所谓民族精神；但这些在文化和艺术上表现出来的时候所构成的“民族性”，在客观的文化的价值上也就正如上面所分析。

但在我们中国，现在所提出的“民族形式”问题，意义又有不同。我们现在所要创造的新文化和新艺术，在目前固然可以说是在一种认定上努力，即“民族形式，革命内容”。但这分明是应当在极广阔的意义上说的。在我们这里，所提出的民族形式，是我们民族革命的内容所要求，是为了表现这种战斗的内容而在觅求着这种形式；这种形式是战斗的，必须是新创的，是为了民族文化的最终目的——世界文化的建立的；它决不是一种当作被扬弃的过程看的民族形式。因此，我们所提的民族形式，是大众形式的意思。大众形式，或者说大众性原则的形式，是我们新文艺创造的大路，是我们民族文化要跑上世界文化的起程点。但大众形式，用了民族形式的名义而提出，也有它的具体的眼前的实践的意义，第一是含有对抗着帝国主义的文化的意义的，第二则上面已说过，是为着革命的本质而自觉地重视着民族战斗的特质，为着革命的内容而创造着民族形式。更明白地说，即民族革命和社会革命的这国际性的现在中国人的生活斗争的浩大的内容，是必须要有相适应的战斗的民族形式的。我们人民的革命的战斗生活，是在我们独特的浩大的民族面貌上表现出来的，这就要求着民族形式。形式仍就是生活内容。但这样，大众的民族形式的提出与创造，以及民族的战斗的特质的被重视和应当被重视，在实质上又正在扬弃着“民族性”了。这就是说，我们是在扬弃着中国旧的民族文化，而创造着新的中国民族的文化的，正犹如我们在毁坏旧中国，却创造着新中国一样。这样，倘若跟着这个而引起了复古的主张，或简直想走自外于人类的莫名其妙的路，则不但徒劳，而且也是有害的。

过渡性与独创性

我在关于民族形式的一点短论里，曾说过我们现在所提起的民族形式，并不是那当作被扬弃的过程看的民族形式，而是以大众的世界文艺为最终目的的这样意思的话。关于这一点，还可以加一点解释。

第一，被扬弃的过程和过渡的阶段是有分别的。我们现在是从旧的民族文化过渡到新的民族文化，同时是从国民的文化走到世界的文化，这是一个过渡的阶段；但这过渡的阶段，在我们，却要同时就是新的文化的开始的阶段。自然，从这开始而不断地发展下去，就正是不断的扬弃的过程，但这是从低级向高级的矛盾斗争的发展的过程，从中就不断地扬弃着旧的民族文化。过渡的阶段是必须的，但要使在过渡时期所创造的文化即是新的文化的起点和基础，那就必须在开始就有分明的决定的最终目标，这样才使过渡的阶段有意义。对于新的文化的创造，旧的民族文化自然是重要的也是必须的基础，但在落后的民族，这却决不是唯一的基础，我们还必须吸取别的先进民族的文化要素（从前称“欧化”，现在进一步的称“世界思想学术的中国化”的意义就在这里）。有的论者又常引苏联对同盟内的各民族所提的“革命内容，民族形式”的口号为例，那么这就更明白：第一、这在苏联一则根据民族自决的原则而来的民族文化政策，二则正是这样地去扬弃各民族的旧的民族文化的；第二、在苏联同盟内的各民族，文化创造的目标就不是什么特有的民族文化，而是革命的社会主义的文化。在我们中国，对于国内的各少数民族，我们自然主张平等的民族文化政策；同时对于帝国主义的侵略者，我们更是在政治上坚持民族自决的独立自主权，在文化上也坚持同样的独立自主权，反对帝国主义的文化的干涉。但我们自己创造新的中国文化却以新的世界的文化为目标。

第二，特别可以加以说明，是我们以为文化上的民族性已失去独立的意义，但文化和文艺的民族的独创能力和独创性却十分需要。民族的独创能力和独创性的要求，并不是向着特殊的民族性的树立，然而却是世界文化的到达所必要。我们单说文艺罢，在文艺上，譬如说在同一民族内，同一时代中，各个作家无论在内容和形式上就都以创见和独创为必要；作为世界文艺之一个单位的民族文艺也以独创为必要。独创所以为必要，在基本上并非为了各民族文艺保有独自的特色，使世界文艺能呈出五花十色的奇观，却是为了如果不各自努力创造，只是互相模仿，就不会有进步，不会精进深入，达到伟大的成就，也就无从创造出世界文化来的缘故，是“各尽所能”的意思。世界文化和文艺是要靠有创造力的各民族所共同创造成的，这样地创造成的各民族的独创的特色，也是世界文化的特色。在文化落后的民族，新文化和新文艺运动的初期，总都受着外国文化和文艺的影响，这是好的，必要的，但有创造力的民族是即刻就能独立起来，自己独创着的，尤其必须如此；例如十九世纪前半期的俄国，现代的我们中国。——在我们文艺上，从鲁迅先生以来，我们已经走上独立的民族的大众的文艺的创造；现在我们已能够渐渐脱出资本主义国家文艺的影响而自己独立地创造着，虽然现在又正受着苏联文化和文艺的影响，但也已经能够独立的摄取。总之，已经走上一边吸取世界各国的优秀的文艺，一边独立的创造自己的新的中国文艺的大路。我们是必须独立地创造的。但我们的已经能够独立的创造，却决不是什么“复古运动”、“国粹主义”所教训成功的，恰恰相反，我们也一样地能够对我们的旧文化而独立了，同时也和对于外国的文化一样，知道有所选择了。

第三，在文学上，民族形式的问题主要的是语言的问题。那么，从国语的建立和我们新文学的语言的出路上看来，民族形式也正是非向大众文学的出路不可了。我们的国语，正如许多大众语运动者们所证明，是只有以现在各地各行的大众的口语为创造的初步的准则和基本的源泉，同时吸取文言白话及外国语言，才能创造出健全丰富的独立的国语的，而且总非废除太特殊的方块字不可。在文学上，从文学的语言的创造出发，则除了大众语的出路，此外实在并没有“民族的”的独创的路了。

一九四〇年三月廿九日

令人战栗的性格

我现在并不是来做书评，因为这是早已失去时效了，这本书（石川达三的《活着的兵队》）已经不是新鲜了，但我们可以从中看出一个极根本的特性，使我们明白了许多事情。

我们且先看石川达三写出了些什么样的人物。作者所写的几个人物，都不是一味的被压迫的日本下层的大众，也不是那种连自己作了什么事也不自觉的头脑蒙昧的"愚民"；而是大都受过高的教育的所谓文明的日本国民的优秀分子。例如近藤一等兵是一个大学出身的医学士；平尾一等兵也是知识分子；仓田少尉，以前是小学教师，现在是军官；从军僧片山立澄是一个高等的佛教徒；而笠原伍长或武井上等兵也都并非没有知识的人。

但这些人物的性格是怎样呢？则除了在正式的阵地上他们用枪炮屠杀人类的勇敢外，他们是都无例外地在非战斗的时候，对非战斗者或已解除武装的中国人民的非常的惨杀和非平常的奸淫上，展开了他们的残酷和卑劣的性格。那最大而且最可怕的特点，是在于这些人物都在这种非常的惨杀和非人的奸淫的实践上，找到了对于侵略战争的肯定！可以引举实例来说明。

笠原伍长是在对于杀生的特殊的嗜爱，像杀鲫鱼一样的心情之下，奋勇地以虐杀的各种方式杀戮有放火嫌疑的中国青年，杀戮大批的俘虏兵等等上面，这就最高度地涌起他对于祖国的忠诚和对于战友的本能的爱情的。

武井上等兵为部队长的炊事兵，则以活活地淹死那仅仅因饥饿而偷吃了一小包砂糖的被拉去当伙夫的良顺的中国青年，而偿他对于那现在至于要吃没有砂糖调味的菜的部队长的歉意。

从军僧片山立澄，抱着不分国界超度一切战死者的佛心来到战场上，但一到战场，就无论如何都引不起也给中国人的战死者超度的那样心情来了，而相反，即刻一手捏着念珠一手握紧铁铲，嘴里骂着“你老子的，你老子的”，向那已经解除了武装的中国人的头上猛击下去。于是，从军僧的片山立澄亲手所杀死的人，就比一个最勇的兵在战线上历次所杀的还要多。他将他的宗教一下子用铁铲埋葬了，但他依然还是一个日本的高级佛教徒。

平尾一等兵是一个浪漫主义的青年，一到战场，感到了失望和不安，而他的出路是什么呢？是自暴自弃，但决不自杀，却是疯狂的嗜虐，和士兵成群的去轮奸那在旷野抱着母亲尸体而彻宵哀泣着的少女。他要在这些事情的实践上和战争妥协，以求得自己的安定。

近藤一等兵呢？这个医学士彷徨于生的可贵和死的容易的玄妙不可解决中，也和平尾一等兵一样感到国家与个人的冲突。但他马上解决了，去惨杀有间谍嫌疑的少女，认为惨杀和枪决并无分别，于是由于对别人的生命的轻蔑也轻蔑起自己的生命来，这样就能和战争妥协了。他的立意要保存生命的医学，也和从军僧片山的宗教一样，即刻支离破灭了。自然，近藤医学士是又相信问题常不能有绝对的解决的，他还以为自己是在“个人主义，社会主义，法西主义的三条道路的分歧点上”彷徨着的。

最后，仓田少尉，初以对于激战的渴望来忘却对于死的恐怖，结果就达到了坦然杀人，以鼓励士气的理论去默认士兵的暴行，而在旷达的心情下承认着战争。……

我们于是明白，这些人物不但不从根本上去反对或怀疑他们的侵略战争，——“所谓战争这东西的国家的意义，极为明显，实无批判的余地”，他们这样想。——却相反，试着种种的借口，使用着近代文化的若干术语，以解释自己的残酷和卑劣，使自己和侵略战争成为一体而肯定着它。他们的苦闷，——这很明显是由于侵略战争与人性和人类文化的冲突，——并不推动他们去积极地反对或消极地怀疑侵略战争；却是以自觉的毁灭人性，以额外的非人的惨杀和奸淫的实践，而求得个人对于侵略战争的服服帖帖的一致。于是，由于这写实小说的所写的及此外未有人写过的更几千万倍的日军的暴行，实使我们明白：他们和未开化的野蛮民族的残暴的不同，倒在于野蛮民族仅止于不自觉的残暴，而文明的日军却是自觉的毁灭人性和人类。而这恰恰就是我们在这次战争中，因而也在石川达三的小说中看见的日本民族的特殊的典型性格。然而石川达三所老实地写出的这些人物，都并非战争的主使人，他们并非就是穷凶极恶的法西斯军阀本身，而他们是医学士，佛教徒，小学教师之类，结果却竟这样迅速地达到了和法西斯军阀的一致，这样容易地自觉的毁灭着人性：我想，这才是令人战栗的可怕的事情罢！

但这却是我们在别的战争小说中所少见，而在日本民族中普遍地发现的特性。这难道不是一个重大的问题么？我以为也可说是一个重大的文化的问题。

日本军队中的典型性格的这种特性，说明着什么呢？这种特性，简直会使人跳起来：为什么人们会这样脆弱？为什么一到战争，一到可以作恶的机会，便一切平日的教养和思想，一切人性，都一下子像糖塔儿一般被击得粉碎？为什么人们对于人类的正义的感情和反对恶的感情会这样的淡薄？……倘若现代人一般的都是这样，那么我们真要成为悲观主义者了。但在这里，首先说明着一件事，即在日本，那近代的文化思想运动，对于人类自觉的思想，无论科学，艺术，无论人道主义或社会主义，所生下的根是怎样的浅和不强固呵。战争就正是民族文化的最好的试金石之一。原来在日本，本没有固有的自成系统的文化可言，但这并非最大的弱点。其次，近代的资产阶级科学和艺术运动，在日本也没有得到它那“人类精神”的胜利。就是：资产阶级的科学固然给予了日本以资本主义的发展，但资产阶级科学和艺术的那革命的方面和为人类之一大进步的那人类本质的精神，却仍没有在日本的民族中生下深固的根。于是，这加重了日本社会主义思想运动的责任；但社会主义的思想运动又怎样呢？却是一开始就受着很难发展的沉重的压迫！……成为使人又愤恨又同情的日本民族的弱点的，是它的文化运动的这种过程。我们对于石川达三作品的小小的分析，就可指出了近代的人类自觉的伟大的世界思想在日本生下的根是很浅的一个问题。但同时，资产阶级文化的毒液和废料，在日本却似乎很丰富。石川达三所老实地描画出的人物的特性，那一方面我以为正可从日本资产阶级的文化运动中，从他们对于社会主义思想运动的压迫中，找到了说明。

但这只是问题的一方面。石川达三的小说仅只写出了日军暴行的极小的极不占显著地位的一小部分。而侵略战争及其各种暴行，是要日本法西斯军阀负全责的。于是，日本法西斯军阀在毁灭生命、文化之余，又怎样地在摧毁它自己国民的人性，这小说就又是一个小小的真实的例证。法西斯主义和侵略战争都是人类文化的大罪恶，而它一加到人类文化根基薄弱的民族身上去，那么，那情形如何，这里也就有了明证：将不但只在那里引起政治上的独裁而已，而且马上进而毁灭着人性，要将所有思想，科学，艺术，甚至宗教等等所能给予人类的好的影响都毁灭无余了。石川达三的小说当然不是杰作，看作者自己在作品中所能透露出来的思想也是颇浅薄的；但这是一个明白的例证，说明日本的法西主义在毁灭着人性，毁灭着人类伟大文化在日本投下的那还单薄的影响；说明着日本民族文化的危机。倘长此下去，则日本民族中那人类正义的伟大战士将尽被压杀，而猜忌家，虐杀狂者，色情狂者等等的典型性格，将到处的层出不穷。……

自然，我们对日本民族并不悲观，因为那里还有劳动大众在，人类的正义的革命的战士将从他们中突举起烧毁人类大敌的火来的；而且也只有这样，日本民族才能从危机中脱离出来。法西主义的统治是可怕的，尤其对于人类文化根基很薄的民族。但对于文化落后的民族也一样的，我们中国的文化运动将向人类文化的哪一条路走，也可以得到教训。

一九三九年七月十九日

三联经典文库第二辑简目

《游击战教程》　明凡 / 著

《游击战术纲要》　陶剑青 / 编著

《汪精卫卖国的理论与实践》　钱俊瑞 / 著

《抗战以来》　韬奋 / 著

《陕行纪实》　楚云 / 著

《随军散记》　沙汀 / 著

《被日寇囚系半载记》　王研石 / 著

《倭营历险记》　房沧浪 / 著

《活跃的新西北》　田影 / 编著

《保卫华北的游击战》　刘清扬　陈北鸥等 / 著

《徐州突围》　《徐州突围》编委会 / 编

《沦亡的平津》　长江　小方等 / 著

《淞沪火线上》　胡兰畦等 / 著

《瞻回东战场》　长江　罗平 / 著

《东线的撤退》　胡兰畦等 / 著

《抗战中的西北》　徐盈 / 著

《鲁闽风云》　徐盈等 / 著

《西线生活》　西北战地服务团集体创作

《中国解放区见闻》　［美］福尔曼著 / 朱进译

《全面抗战论》　潘汉年 / 著

《日本的间谍》　范士白自述 / 尊闻译

《日本大陆政策的真面目》　国难资料编辑社 / 编

《民众动员论》　李公朴 / 著

《中国外交史》　钱亦石 / 编著

《太平洋军事地理》　蒋震华 / 著

《世界经济地理讲话》　思慕 / 著

《列强军力论》　［德］马克斯 · 威纳尔著 / 宾符　仲持　梅益等译

《近代国际关系史》　张铁生 / 著

《太平洋现势手册》　沈志远　石啸冲 / 编著

《近代世界政治史》　钱亦石 / 著

《从战争到和平——一九四五年的世界政治》　乔木 / 著

《战后日本问题》　思慕 / 著

《最近一年间的国际动态（1946.7–1947.6）》　《东北日报》社 / 编

《论政党》　翟放 / 著

《法与宪法》　韩幽桐 / 编著

《中华民国宪法刍议》　罗家衡 / 著

《民主 · 宪法 · 人权——作之民》　费孝通 / 著

《宪法论初步》　潘念之 / 著

《对反民主的抗争》　韬奋 / 著

《农村改进的理论与实际》　江恒源 / 著

《上海产业与上海职工》（上下）　　朱邦兴　胡林阁　徐声 / 合编

《陶行知教育论文选辑》　　陶行知著 / 方与严编

《中国通货膨胀论》　　杨培新 / 著

《中国及其未完成的革命》　　H·普拉特著 / 蒋天佐译

《中国的建设问题与人的训练》　　卢作孚 / 著

《论中国特殊性及其他》　　艾思奇 / 著

《中国经济问题讲话》　　钱俊瑞　徐雪寒　王渔邨　姜君辰　骆耕漠 / 合著

《中国经济的道路》　　许涤新 / 著

《中国财政之病态及其批判》　　孙怀仁 / 著

《官僚资本论》　　许涤新 / 著

《五四运动之史的评价》　　陈端志 / 著

《中国通史简编》（上下）　　中国历史研究会　范文澜 / 主编

《论文学的工农兵方向——读〈在延安文艺座谈会上的讲话〉》　雪苇 / 著

《中国近代史（上编　第一分册）》　　武波 / 编著

《文学百题》　　傅东华 / 编

《中国史学之进化》　　周谷城 / 著

《论民族形式问题》　　胡风 / 著

《论批评》　　荃麟等 / 著

《中国史纲》（第一卷上下、第二卷上下）　　翦伯赞 / 著

《近代中国思想学说史》（1–4）　　侯外庐 / 著

《中国政治思想史》(上下)　吕振羽 / 著

《中国哲学史纲要》　向林冰 / 著

《中国政治史讲话》　钱亦石 / 著

《中国社会经济史纲》　王渔邨 / 著

《新财政学大纲》　千家驹 / 著

《太平天国革命运动论文集——金田起义百周年纪念》

华北大学历史研究室 / 编

《理性与自由——文化思想批评论文集》　胡绳 / 著

《战斗者的诗人》　黄药眠 / 著

《国语文法》　曹朴 / 著

《教育哲学》　张栗原 / 著

《妇女问题讲话》　杜君慧 / 著

《婚姻 · 子女 · 继承》　沙千里 / 著

《性教育新论》　布士克　雅各生合著 / 董秋斯译

《狱中杂感》　杜重远 / 著

《七人之狱》　沙千里 / 著

《爱迪生传》　伍况甫 / 译

《歌德自传》(上下)　歌德著 / 思慕译

《尼赫鲁自传》　[印度] 尼赫鲁著 / 毕来译

《列宁传》　[苏] 凯尔任采夫著 / 企程　朔望译

《罗斯福总统传》　C. Mackenzie 著 / 张尚之译

《托尔斯泰传》(1–3)　[英] 阿尔麦 · 莫德著 / 徐迟译

《革命文豪高尔基》 ［美］亚历山大 · 康恩著 / 韬奋编译

《鲁迅纪念特辑》 新中国文艺社 / 编

《回忆鲁迅先生》 萧红 / 著

《人民文豪鲁迅》 平心 / 著

《亡友鲁迅印象记》 许寿裳 / 著

《鲁迅思想研究》 何干之 / 著

《鲁迅研究》 夏征农 / 编

《过来的时代：鲁迅论及其他》 雪峰 / 著

《电影戏剧表演术》 洪深 / 著

《日常心理漫谈》 ［美］约瑟夫·查斯特罗著 / 曾宝施译

《心理常识漫话》 朱智贤 杨云美 / 著

《读书的方法与经验》 王任叔 / 著

《美国黑人生活纪实》 ［美］加德维尔 斯坦倍克著 / 董秋斯译

《初访美国》 费孝通 / 著

《事业与成功》 ［美］马尔腾著 / 汪原放译

《萍踪寄语（初集）》 韬奋 / 著

《一生的幸福前途——〈生活周刊〉信箱选集》 生活书店 / 编选

《深刻的印象》 生活周刊社 / 编

《海外的感受》 生活书店编译所 / 编

ISBN 978-7-108-04620-8
9 787108 046208 >
定价：22.00元